CU00869308

SGôR

Bethan Gwanas

SGôR

Nofel T

y Lolfa

Bethan Gwanas yw awdur *Sgôr*,
ond bu Dyfed Bowen, Fflur Huysmans, Gwenno
Teifi, Helen Davies, Ifan Teifi Rees a Seren Stacey
o Ysgol Dyffryn Teifi, Llandysul, yn ganolog yn y
broses o'i chreu ar ôl iddyn nhw ennill
cystadleuaeth Nofel-T, oedd yn cael ei rhedeg
ar y cyd rhwng Cyngor Llyfrau Cymru,
Uned 5 ac S4C.

Argraffiad cyntaf: 2002

℗ Hawlfraint Bethan Gwanas a'r Lolfa Cyf., 2002

*Mae hawlfraint ar gynnwys y llyfr hwn ac mae'n anghyfreithlon i lungopïo neu
atgynhyrchu unrhyw ran ohono trwy unrhyw ddull ac at unrhyw bwrpas (ar wahân i
adolygu) heb ganiatâd ysgrifenedig y cyhoeddwyr ymlaen llaw.*

Clawr: Sion Ilar

Diolch i Gyngor Llyfrau Cymru, Ysgol Dyffryn Teifi, Antena ac S4C.

Rhif Llyfr Rhyngwladol: 0 86243 615 X

Cyhoeddwyd ac argraffwyd yng Nghymru
gan Y Lolfa Cyf., Talybont, Ceredigion SY24 5AP
e-bost ylolfa@ylolfa.com
gwefan ylolfa.com
ffôn (01970) 832 304
ffacs 832 782

Diolchiadau

Mae Bethan am ddiolch yn arbennig i:

Dyfed
Fflur
Gwenno
Helen
Ifan (gyda diolch arbennig am y gân)
Seren
a Elin Williams
Gwawr Maelor am gael y syniad
Pwyllgor Adnabod Anghenion y Cyngor Llyfrau am wthio'r cwch i'r dŵr
Snedli – am y wybodaeth sacsoffonaidd
Iwan Môn ac Emlyn Gomer am y wybodaeth gerddorol

**Mae Dyfed, Fflur, Gwenno, Helen, Ifan a Seren
am ddiolch yn arbennig i:**

Mrs Elin Williams
Bethan Gwanas am gydweithio mor hwylus
Gwersyll Llangrannog
Mared a'r Lolfa
Sion a'r Cyngor Llyfrau
yr Ysgol am eu cydweithrediad
Huw Jones (sy'n ymddangos gyda ni ar y clawr)
Rhys Evans a Rosemary Wise am fenthyg offerynnau ar gyfer y clawr

Ni'r Criw

Yn y dechreuad roedd y gair. Roedd y gair gan Bethan Gwanas, a'r gair oedd Bethan Gwanas. Gwawr Maelor gafodd y syniad, a hi a Bethan, *Uned 5* a'r Cyngor Llyfrau oedd y beirniaid. A 35 gair oedd y tocyn i'r chwech ohonon ni gael yr anrhydedd o ysgrifennu nofel.

Waw! Woeeee! Yipee! Ac o'r fan yna ymlaen roedd yna waith i'w wneud, ac oriau o jôcs gwael Ifan i'w dioddef. Daeth Bethan i'r ysgol i gwrdd â ni eto, a tra oedden ni i gyd yn parablu am ein bywydau bob dydd, fe naethon ni greu'r prif gymeriadau – rhai diddorol (a chyfarwydd i ni, o bosib).

Buom yn cwrdd yng Ngwersyll Llangrannog, ac yn derbyn triniaeth *VIP*(!) wrth ddatblygu'r nofel ymhellach. Ond hyd yn oed yn yr ysgol roedd rhaid gweithio ar y plot, gan gadw cysylltiad e-bost cyson gyda Bethan (Helen oedd yn gwneud yr e-bostio i gyd!). Y peth anoddaf, heblaw am olygu pob pripsyn bach o'r nofel, oedd sylw'r camerâu yn ein dilyn i bob man – *in your face*. Hyd yn oed ffilmio coesau wobli Ifan ar y cwrs rhaffau yn Llangrannog – a phawb yn gwneud stumiau 'cŵl' ar gyfer y clawr.

R'yn ni i gyd wedi cael profiad bythgofiadwy, wedi gweithio'n galed ond hefyd wedi cael digonedd o hwyl. R'yn ni wedi dysgu pa mor galed ydi hi i ddechrau'r gwaith, ond unwaith mae'r cymeriadau wedi eu sefydlu mae'r syniadau'n llifo. Mae wedi bod yn hwyl a r'yn ni i gyd yn mynd i weld eisiau Bethan. Mae hi wedi dysgu gymaint i ni am y broses o ysgrifennu, bod rhaid i'r plot ddatgelu'n raddol, ddim yn rhy araf nac yn rhy gyflym.

Roedd hi'n gymaint o ryddhad i orffen ysgrifennu'r nofel, ac wrth ddarllen y drafft olaf roedden ni'n siŵr ei bod yn barod ar eich cyfer chi.

Rydych chi nawr wedi cael blas ar ein hiwmor a'n personoliaeth ni, felly beth am gael blas ar y llyfr?

ta-ra,

Gwenno.T.
—x—

Serena
↑↑↑

MWW
x

A Brown
(Dyfed. B.)

Helen
—x—

15 Rhagfyr

Jinglwch y blydi clychau, mae'r Nadolig yn nesáu ... hwrê.

"Ding ding dong, a dwbwl dong,

mae mywyd i 'di mynd yn hollol rong."

Dwi'm hyd yn oed yn gallu cael y geiriau i ffitio'n iawn.

Roedd bob dim yn grêt, yn hollol cŵl, nes i Dad gymryd y joban newydd 'ma. Ro'n i'n byw'n ddigon hapus ym Mangor. Roedd gen i griw rafinllyd o ffrindia – wedi bod efo'r rhan fwya ohonyn nhw ers yr ysgol gynradd. Ro'n i wedi dechrau ar y pynciau ro'n i wedi eu dewis ar gyfer TGAU ac roedd bob dim yn mynd yn iawn am mod i wedi cael yr athrawon ro'n i'n eu casáu leia. Ro'n i wedi cael fy newis i chwarae rygbi i ysgolion Gwynedd. Ac yn waeth na dim, ro'n i newydd fagu'r gyts i ofyn i Ceri Hughes fynd allan efo fi, ac yn waeth na hynny hyd yn oed, roedd hi wedi cytuno; a doeddan ni ddim ond wedi bod efo'n gilydd am bythefnos pan ollyngodd Dad y bomshel.

"Sion, dwi wedi cael swydd newydd ... "

"O? Llongyfarchiada."

"Yn y de."

"O. De lle?"

"De Cymru ... Ac mi fydd raid i ni symud yno – i fyw."

"Y?"

'I fyw' medda fo. 'I farw' fyddai'n nes ati. Dwi'n casáu'r dymp 'ma. Mae o'n ganol blydi nunlla, ac mae pawb yn gneud hwyl am ben fy enw 'Welshie' i (be sy o'i le efo Sion ap Gwynfor?) a mwy o hwyl fyth am ben fy acen 'gog' i, ond dwi'm yn eu deall nhw chwaith. Wel, mi rydw i go iawn, fedrwch chi'm cael eich magu ar *Pobol y Cwm* heb ddod i ddeall rhywfaint o iaith y de – ond dwi'n esgus mod i ddim. Jest i'w gwylltio nhw.

Tri mis o notis oedd raid i Dad ei roi yn ei hen swydd, felly tri mis ges i i arfar efo'r syniad o symud. Dwi'n dal heb arfar. Sut mae disgwyl i rywun arfar efo gadael ei fywyd ar ôl? Dwi isio i rywun fy neffro i a deud mai dim ond hunllef oedd o i gyd. Dyla bod 'na gyfraith yn erbyn y peth, yn gorfodi teuluoedd i aros lle maen nhw nes mae'r plant wedi gadael rysgol o leia.

Pan ti'n bymtheg fel fi, ac wedi byw yn yr un lle ar hyd dy oes, tydi o ddim yn jôc. Ti wedi magu gwreiddia, ffrindia, trefn i dy fywyd. Ti'n gwbod pwy wyt ti. Sion ap Gwynfor o'n i; mêt i Id, Cai, Tycanol a Dyl; cariad Ceri Hughes; canolwr y tîm dan-16. A rŵan, dwi'm yn gwbod pwy ydw i. Dwi'r un fath, debyg iawn, ond yn wahanol hefyd. Fatha chameleon yn newid ei liw yn dibynnu be ydi'i gefndir o. Jest mod i'm wedi gweithio allan pa liw dwi fod eto, felly dwi mewn limbo lliw dŵr golchi llestri. A fi 'di'r cadach llestri'n ei ganol o.

Does gen i'm ffrindia yma. Does 'na neb dwi isio bod yn fêts efo nhw p'un bynnag. Wel, tydi hynna ddim yn hollol wir chwaith. Mae 'na un – Teleri. Mae hi wedi bod reit glên efo fi. Mae hi'n yr un dosbarth â fi, a hi ydi'r hogan smartia'n yr ysgol, o bell ffordd. Mae hi chydig bach yn od, wedi strîcio'i gwallt melyn yn biws, ac mae hi'n mwmian canu rownd y rîl – yn ystod gwersi, wrth gerdded ar hyd y cyntedd, wrth fwyta'i chinio. Tydi hi byth yn stopio – mae hi hyd yn oed yn swnio fel tasa hi'n canu pan fydd hi'n siarad. Ond asu, mae ganddi hi lais da. Tlws, ond gytsi ar yr un pryd, a stwff Super Furries a Wheatus mae'n ei ganu fwya – dwi'n meddwl. Anodd deud pan ti'n trio canolbwyntio ar be mae'r athro Cymraeg yn ddeud am y Ddeddf Goddefiad yn *Y Stafell Ddirgel*.

Dwi'm wedi siarad cymaint â hynny efo hi eto, dwi jest wedi siarad mwy efo hi na neb arall. Dwi prin wedi torri gair efo unrhyw un arall yn yr ysgol.

Er, mae 'na hen het o hogan, ryw Lara Wilcox, wedi bod yn fy nilyn i o gwmpas y lle ers y diwrnod cynta. Hi a'i dwy ffrind sydd ddim yn gallu agor eu cegau heb swnio fatha hyenas. Mae'r ddwy'n denau, denau efo gwallt byr sydd mor felyn mae o bron yn wyn (rhywun yn rhy hael efo'r bleach) fel bod y ddwy yn edrych yn debyg uffernol i cotton buds, ac mae Lara'n fyr a llond ei chroen ac yn bimbo o'r radd flaena. O'r munud cynta, roeddan nhw – wel, Lara – yn stwffio'i gwyneb mewn i ngwyneb i, amharu ar fy ngofod personol i yn y modd mwya annifyr.

"Helô, Lara ydw i, ti'n newydd on'dwyt ti beth yw dy enw di 'te fi lico dy wallt di a ma' llyged neis 'da ti 'fyd ti lico bogel wedi pïyrsio fi ... iap iap iap ... " zzzzz ...

Gymerodd hi oes i mi gael gwared ohoni. Ac erbyn i mi lwyddo, roedd hi'n rhy hwyr. Roedd 'na griw o hogia, oedd yn chwarae pêl-droed, wedi ngweld i'n cael fy hambygio gan Lara a'r Cotton Buds. Eiliadau ar ôl i Lara fartsio i ffwrdd mewn stremp (ro'n i wedi deud wrthi lle i stwffio'i *%$£^?! bogel) ges i bêl-droed galed yn erbyn cefn fy mhen. A dwi'n gwbod mai siot dda oedd hi, ddim damwain. Ro'n i wedi gweld y sgrwb mawr tywyll 'na'n rhoi hanner gwên i mi, ac wedi gweld ei fod o'n uffar o ffwtbolar. Roedd pawb yn meddwl bod y peth yn blydi hilêriys, toedden? A be fedrwn i neud? Yn hollol: dim. Nes i jest gerdded oddi yna.

Dwi wedi trio siarad efo pobol eraill, ond dwi'n meddwl mod i'n trio efo'r bobol anghywir, y pryfed clust a'r sados, fel Lara.

Er, mae Teleri'n bendant yn un o'r 'A-crowd'. Mae 'na wastad griw fel'na ymhob ysgol, ymhob dosbarth, yndoes? Y criw hyderus, golygus (gan amla) mae pawb arall isio bod yn ffrindia efo nhw. Ac mi fyswn i'n licio bod yn ffrindia efo Teleri, ond jest bod yn glên efo fi mae hi hyd yma. A dwi'n dal i ganlyn efo Ceri Hughes p'un bynnag, a fysa hi'm yn rhy hapus taswn i'n deud wrthi mai hogan ydi fy mêt newydd i'n fy ysgol newydd. Hyd yn oed taswn i'n egluro wrthi mai dim ond ffrindia oeddan ni. Fydda Ceri byth yn coelio hynna.

Mae Ceri'n un beryg ar adegau fel'na. Dwi'n cofio pan oedd hi'n mynd efo Adam Jones – a chlywed ei fod o wedi bod yn snogio efo Melanie ar drip y Clwb Ieuenctid i Alton Towers – aeth hi'n bananas efo fo. Ddoth o i'r ysgol y diwrnod wedyn efo dau lygad du, gwefus isa fel malwan fawr biws, a lot llai o wallt ar ei ben. Na, dwi'm llawer o isio codi gwrychyn Ceri.

Ddim ei bod hi'n ffonio mor amal â hynny rŵan. A'i thro hi ydi o i sgwennu llythyr. Dim ond un dwi 'di gael ganddi hi, a dwi 'di sgwennu pump ati hi. Ond dim ond wedi postio tri. Do'n i'm isio iddi feddwl mod i'n rhy keen. 'Treat 'em mean, keep 'em keen' meddan nhw, yndê? Ond o'r siâp oedd ar yr un llythyr 'na ges i ganddi, mae'n amlwg nad ydi sgwennu yn un o'i chryfderau hi. Yn wahanol i siarad. Fuon ni ar y ffôn am awr un tro, a dwi'm yn meddwl mod i wedi cael mwy na dwsin o eiria i mewn.

Mi ddyla 'i bod hi wedi cael ei phresant Dolig erbyn hyn hefyd. Sgwn i be mae hi wedi'i gael i mi? CD fysa'n neis – rwbath blŵs neu jazz. Ond Westlife mae hi licio, ac os mai dyna ga i ganddi, mi ro i o i'r ci.

Blydi hel, dwi hyd yn oed yn fwy digalon rŵan. 'Sa well i mi drio gneud y gorau o betha mae'n siŵr. Dyna mae Mam a Dad yn ei bregethu wrtha i rownd y rîl.

Iawn, mi wna i drio rhestru be sy'n dda am y lle 'ma:

1. *Teleri.*
2. *Mae'n haws i mi fynd i weld gêmau rygbi Llanelli.*
3. *Mae'r tŷ yn fwy na'r hen un. A deud y gwir, mae o reit neis.*
4. *Mae 'na fand chwyth yma, ac o leia dwi'n cael cyfle i chwarae'r sacs yn rheolaidd.*
5. *Rhywle rhwng yr hen dŷ a fan'ma, mae Mam wedi colli'r llun 'na ohoni'n cael ei choroni'n Miss Prestatyn. Mae hi'n ypsét uffernol am y peth, ond mae rhoi fyny efo'i thantryms hi dipyn haws na gorfod byw efo'r llun yna wedi'i fframio ar ben y seidbord. Ro'n i'n marw bob tro roedd fy mêts i'n dod draw.*
6. *Efo dipyn o lwc, fydd Mam ddim yn codi cymaint o gywilydd arna i efo fy ffrindia (os ga i rai) gan ei bod hi gymaint hŷn (plîs, os ga i 'nal yn deud 'henach' ryw dro, saethwch fi) rŵan. Mae hi'n 47 ers o leia tair blynedd ...*
7. *Ella ga i fy sbotio'n haws gan y sgowts rygbi fan hyn, gan nad ydyn nhw byth yn dod i'r gogledd, ac wedyn mi fydda i'n chwarae i Gymru gymaint cynt. (Wedi deud hynny, dwi'm wedi cael llawer o gyfle i ddangos mod i'n gallu chwarae. A phan dwi'n gneud tacl neu bàs dda, mae Mr John, y blincin athro chwaraeon 'na, yn sbio'r ffordd arall. Felly dwi'm hyd yn oed yn nhîm yr ysgol eto.)*
8. *Mae'r hogia'n sôn am ddod lawr 'ma am benwythnos ryw dro – gawn ni ddiawl o hwyl wedyn.*
9. *Mae Dad wedi prynu cyfrifiadur i mi – i roi eli ar y briw o orfod gadael fy mywyd ar ôl. Tri deg darn o arian, yn y bôn. Llwgrwobrwyo ... ac ynta'n Arolygydd efo heddlu Dyfed Powys. Twt twt.*

Dyna fo, dwi wedi gallu meddwl am naw peth positif am y lle 'ma, felly dwi ddim yn euog o "nofio mewn hunan-dosturi" fel mae Dad yn ei honni. Dwi *yn* trio "gwneud y gorau o bethau". Felly geith o fynd i grafu.

Ond ella 'swn i'n gallu gwneud mwy o ymdrech i neud ffrindia. Ella mod i ar fai ar y cowt yna. Iawn, ocê, mi dria i'n galetach o hyn allan. Dyna fo, mae o lawr ar ddu a gwyn rŵan. A dwi'n mynd i gael lle yn y tîm rygbi hefyd. Ella y bysa'n syniad i mi drio bod yn ffrindia efo Mr John Chwaraeon hefyd, ond does gen i'm clem sut mae gneud hynny gan nad ydi o hyd yn oed wedi sylwi ar fy modolaeth i eto.

Dwi'm yn siŵr pam mod i'n sgwennu hyn i gyd i lawr fel hyn. Dwi rioed wedi cadw dyddiadur o'r blaen, ond beryg mai dyna fydd hwn. Ro'n i'n arfar meddwl ei fod o'n beth ponslyd i'w wneud, mai dim ond genod sy'n sgwennu eu teimladau i lawr ar bapur, ond cyn belled â bod neb yn ei weld o, dwi'n iawn tydw? Dwi'n teimlo'n well ar ôl gadael bob dim allan beth bynnag. Mae 'na air amdano fo, does? Cath – rwbath. O ia, catharsis. Dwi'n cofio Miss Lloyd Saesneg yn gofyn i Id be oedd o'n feddwl oedd y gair 'cathartic' yn ei feddwl. "Cath uffernol o oer, Miss," medda Id.

Un da ydi Id. Ond un sâl uffernol am sgwennu a ffonio, fatha'r lleill. Beryg fod yr hogia ddim yn gweld fy ngholli i gymaint ag o'n i – na nhw – wedi'i feddwl. Ac mae hynna'n brifo.

17 Rhagfyr

Dau ddiwrnod o ysgol sydd ar ôl, diolch byth. Mae 'na griw o Blwyddyn 10 ac 11 yn cael parti Dolig yn rwla nos fory, ond dwi'm wedi cael gwahoddiad. A finna wedi bod yn gneud 'y ngora i drio bod yn gyfeillgar a ffitio mewn – ers deuddydd. Wel ... wnes i'm trio'n galed iawn a bod yn onest. Mi fyswn i taswn i'n gwbod be i neud. Sut mae bod yn gyfeillgar heb wneud prat ohonat ti dy hun? Fedra i'm jest gwenu fel idiot ar bawb, neu mi fyddan nhw'n meddwl mod i wedi mynd yn dw-lal, ac yn galw'r heddlu mewn rhag ofn mod i'n mass murderer. Mi allwn i fynd at un o'r 'A-crowd' a dechra siarad efo nhw, ond be fyswn i'n ddeud?

Ro'n i'n pendroni dros hyn amser egwyl bore 'ma, wrth esgus sbio ar bosteri yn y cyntedd.

"Meddwl mynd?" holodd rhywun y tu ôl i mi. Teleri.

"Mynd i lle?" medda fi'n ddryslyd.

"Ar y trip sgio. Ti'n edrych ar y poster 'na ers deg munud o leia."

"Ydw i?" Do'n i ddim hyd yn oed wedi sylwi. A dyna fo, reit o flaen fy nhrwyn i, poster mawr glas yn dweud: Wythnos yn Val d'Isère fis Chwefror. £500. Holwch Mr John (hwnnw eto fyth!) am fanylion pellach.

"Wyt ... " Edrychodd hi arna i am amser hir. Mor hir, ro'n i'n teimlo fy hun yn cochi. "Wyt ti'n oreit, Sion?" gofynnodd wedyn.

"Fi? Ydw siŵr. Champion."

Chwarddodd. "Chi gogs mor ffyni. Champion ... ?!"

Gwingais. Dwi byth yn deud 'champion'. Pam oedd raid i mi ddeud champion? Weithia, mi fydda i'n teimlo fel waldio fy hun ar fy mhen efo gordd. Neu kneecapio fy hun neu rwbath. Meddylia am rwbath call i'w ddeud, Sion – ty'd, reit handi – cyn iddi hi fynd.

"Ym ... wyt ti'n meddwl mynd?"

"I lle nawr?"

"Y peth sgio 'ma."

"Nagw. Sai'n gweld y pwynt o fynd lan mynydd er mwyn dod 'nôl lawr eto. Na, moyn rhoi'r poster 'ma lan o'n i, ond 'sda fi ddim pinne bawd."

Pinne bawd? Be uffar? O ... drawing pins oedd hi'n feddwl. Roedd 'na bedwar ohonyn nhw'n dal y poster sgio i fyny. Mi fyddai dau yn ddigon. Felly mi dynnais ddau allan a'u rhoi iddi.

"Hwda."

Edrychodd yn hurt arna i.

"Beth? Odw i'n edrych yn dost?"

"Y?"

"Sori, beth wedest ti?"

"Fi? Pryd?"

"Jest nawr. Rhywbeth am hwdu?"

"Chwdu?"

"Ie."

"Ddeudis i'm byd am chwdu."

"Beth wedest ti 'te?"

"Hwda!"·

"Wel 'na fe, wedes i on'do fe!"

Asu, mae isio gras weithia. Ond roedd hi'n gwenu'n ddireidus arna i a dwi bron yn siŵr mai jest tynnu arna i oedd hi o'r cychwyn.

"Iawn, mewn Cymraeg rhyngwladol: dyma i ti ddau bin bawd ... "

"Diolch, Sion." Cymerodd y ddau allan o fy llaw i, a

gwenu'n ddel arna i. Asu, mae ganddi hi ddannedd neis.

"Mae gen ti ddannedd neis." Damia, do'n i ddim wedi meddwl ei ddeud o fel'na chwaith. Edrychodd hi hyd yn oed yn fwy hurt arna i.

"Beth wyt ti – ffarmwr neu rywbeth?! Yn edrych arna i fel dafad?"

"Ym, naci, ddim o gwbwl, siŵr. Jest deud, dyna i gyd."

"Wel ... ma fe'n gompliment, on'dyw e?"

"O, yndi."

"Diolch. Mae 'da tithe ddannedd eitha neis hefyd ... "

"O. Diolch. Fydda i'n trio edrych ar eu hola nhw. Glanhau nhw cyn cysgu ac ar ôl brecwast a ballu." O, cau dy geg, Sion. Ti'n rwdlan.

"Diddorol iawn ... " Roedd hi'n chwerthin ar fy mhen i. Yn gwbod yn iawn mod i'n rwdlan oherwydd mod i'n ei ffansïo hi. Mi benderfynais gau ngheg, ac aeth hi ati i osod y poster.

> Yn eisiau:
> cerddor
> ar gyfer band
> **PENBWL**
> cysylltwch ar frys gyda
> TELERI neu MOSH
> (Blwyddyn 10)
> 600321 neu 601918

Rhywun i chwarae mewn band? A'i rhif ffôn hi? Roedd hyn fel arwydd, doedd? Ffawd. Galwch o be leciwch chi. Roedd o'n uffar o enw od ar grŵp, ond mae sacs yn offeryn secsi ar gyfer unrhyw fath o fand. Mae'n rhaid bod fy ngwyneb i wedi dangos mod i wedi cynhyrfu. Edrychodd

Teleri arna i'n od (eto).

"Nabod rhywun?" gofynnodd.

"Bosib," medda finna. O'r diwedd. Ro'n i'n bod yn cŵl. Ddim yn datgelu gormod yn rhy sydyn. "Sut fath o fiwsig dach chi'n chwara?"

"O, wel ... math o Indie bluesy jazzy fusion."

"O?"

"Ti'n gwbod ... fel John Coltrane ... Led Zep ... Stevie Wonder math o beth ... "

"Neis. A ti sy'n canu mae'n siŵr, ia?"

"Ie. Shwd o't ti'n gwbod?"

"Wedi dy glywed di'n canu i chdi dy hun o gwmpas lle. Llais neis gen ti."

"Mynd 'da'r dannedd siŵr o fod ... "

"Ha. Ia, da iawn rŵan."

"Wela i di 'to Sion. Ta-ra!"

"Hwyl." Ac i ffwrdd â hi, efo'i gwallt melyn a phiws yn bownsio y tu ôl iddi, a'i phen-ôl yn siglo mynd. Roedd y wisg ysgol yn llwyddo i beidio edrych fel gwisg ysgol amdani hi. Trywsus flares yn ffitio'n berffaith am ei phen-ôl, a jympar oedd yn ddigon tyn i ... wel, i wneud i mi anghofio bob dim am Ceri Hughes.

Ro'n i'n gorfod ymuno efo'r band 'ma – enw hurt neu beidio. Ond ella mai ffonio'r Mosh 'ma fyddai orau, i ddechra. Do'n i'm isio ymddangos yn rhy keen ar Teleri nago'n?

Yn y wers Saesneg yn syth ar ôl cinio, ro'n i'n eistedd drws nesa i un o bôrs Blwyddyn 10: Ashley Philpot. Mae o fatha geiriadur yn union – yn gwbod be ydi ystyr bob gair Saesneg dan haul, ac yn llenwi ei draethodau efo petha fel 'ubiquitous' ac 'emblazoned' bob cyfle geith o. O, a mae ganddo fo acen fatha'r Frenhines. Mae'r athrawes bron â gwlychu ei hun bob tro mae o'n agor ei geg. Mae o'n gallu siarad Cymraeg, ond dydi o m'ond yn gwneud hynny pan fydd raid iddo fo, er iddo gael ei eni a'i fagu yma. Ta waeth, ges i gyfle i ofyn iddo fo pwy ydi Mosh.

"Mosh? No idea."

"Ti'n siŵr? Mae o'n Blwyddyn 10."

"Is he now? Nid yn yr un setiau â fi, obviously."

Prat. Rois i gynnig arall arni.

"Iawn, ti'm yn nabod Mosh. Ydi'r enw Penbwl yn golygu unrhyw beth i ti, 'ta?"

"Penbwl?!"

"Ia, dwi'n gwbod ei fod o'n swnio'n rhyfadd, ond enw crap ar —" Ches i ddim gorffen y frawddeg.

"Ydy'r enw Penbwl yn golygu unrhyw beth i mi?!" poerodd Ashley. "Wel ... obviously! 'Na'r band gore wy wedi clywed erio'd!"

Edrychais arno'n hurt. Roedd o'n amlwg yn ei feddwl o.

"Go iawn?"

"Glywes i nhw mewn gìg yn Llwyndafydd llynedd. Roedden nhw'n absolutely fantastic, man! Maen nhw'n mynd i make it big, garantîd."

"Argol, ti'n meddwl?"

"A Teleri ... waw ... hi sy'n canu —"

"Ia, wn i."

"Charisma ar y llwyfan ... weles i rio'd shwd beth. Sex on legs, w."

"O?" Do'n i rioed wedi dychmygu y byddai Ashley'n gwbod be oedd rhyw, heb sôn am werthfawrogi rhywioldeb rhywun fel Teleri. Roedd o'n ei ffansïo hi hefyd, mae'n amlwg.

"Ffansïo hi, wyt ti?"

"Odw, fel pob bachan arall yn yr ysgol."

"O."

Damia. Sut i wneud dy hun yn boblogaidd mewn ysgol newydd: mynd ar ôl yr hogan mae pawb arall yn trio mynd ar ei hôl. Doh!

Ella mai'r peth calla fyddai i mi anghofio am y band. Cadw draw o'wrth Teleri. Wedi'r cwbwl, dwi'n dal i fynd efo Ceri. Ac dwi'n ddigon o benbwl fel mae hi, heb sôn am drio bod yn un. Felly, er mod i wedi meddwl ffonio Mosh heno, wnes i ddim. Dwi am fod yn ffyddlon i Ceri. Dwi newydd fod yn sbio ar y lluniau dynnon ni yn y bwth lluniau pasbort yn Tescos. Asu, mae hi'n beth bach handi. A dwi'n ei cholli hi.

O ia, mi benderfynodd Ashley mai'r drymar ydi'r Mosh 'ma. Os ydi o'n gymaint o ffan o Penbwl, mi fyddai rhywun yn disgwyl iddo fo wybod hynny. Ond dyna fo – does 'na neb byth yn gwbod enw'r boi sydd ar y dryms, nagoes?

18 Rhagfyr

Be ddeudis i am jinglo'r blydi clychau, y? Mae hwn yn mynd i fod yn Ddolig a hanner. Ges i gerdyn Dolig bore 'ma – un Saesneg, rhad, o Woolworths. Un o'r rhai sydd wastad ar ôl yn y bocs pan ti'n prynu economy pack am ei fod o mor uffernol o hyll. Ceri oedd wedi'i yrru o. Ac yn lle deud Dolig Llawen, roedd o'n deud: "Annwyl Sion … dwi'n dympio ti – sori. Merry Xmas, Ceri X."

Yr hen ast! Heb air o eglurhad! A hitha'n Ddolig! A'r 'sori' bach pathetig, nawddoglyd 'na! A finna wedi bod yn ei cholli hi … yn meddwl amdani'n fy ngwely bob nos … bob awr o'r dydd … yn torri nghalon isio'i gweld hi. Ac wedi gyrru anrheg Dolig iddi! Anrheg ddrud hefyd. Roedd y ffrâm yn ddecpunt, heb sôn am y llun ohona i. Ond dyna fo, hen betha hunanol, dideimlad ydi genod – bob un wan jac ohonyn nhw. Ni'r hogia sy'n cael y bai o hyd, cael ein galw'n bob dim dan haul, pawb yn pigo arnan ni, deud mai ni ydi'r bwystfilod mawr rheibus. Jest am ein bod ni'm yn cael hysterics yn gyhoeddus, jest am fod ganddon ni'r hunanreolaeth i beidio beichio crio o flaen pawb os bydd rhywun wedi'n brifo ni.

Mi wnes i agor y cerdyn yna o flaen Mam a Dad wrth y bwrdd brecwast, a gorfod diodda Mam yn hofran a hefru drwy'r cwbwl:

"Wel? Gan bwy mae o? Sgwennu hogan ydi hwnna yndê? Yndê, Sion?! Llwyth o swsus yna, oes? Pwy ydi hi ta, Sion? Ty'd 'laen, dangosa fo i ni ... ti rioed yn swil?"

"Yndw!!!" A dyna'r cwbwl ddeudis i. Wel, dyna'r cwbwl weiddis i ta, ond ro'n i wedi gwylltio efo Mam yn busnesa, ac efo Ceri am yrru'r ffasiwn gerdyn, felly pan godais i fy llais fel'na, roedd o'n ddigon i wneud i Mam a Dad neidio. Mi ddechreuodd gwefus isa Mam grynu, ac roedd hi'n fud – am unwaith. Ond mi drodd wyneb Dad fymryn yn biws. Pan agorodd o ei geg, roedd y straen yn amlwg yn ei lais. Roedd o'n trio cadw'r caead i lawr ar ei dymer.

"Sion." (Saib hir, poenus.) "Dim ots gen i be sy'n y cerdyn 'na, doedd 'na ddim angen i ti weiddi ar dy fam fel yna. Felly, os wnei di ymddiheuro rŵan, y munud 'ma, i dy fam, mi wnawn ni anghofio am y peth."

Saib hir, poenus.

Do'n i ddim angen High Noon efo Dad. Dwi wedi eu cael nhw o'r blaen, a fo sydd wastad yn ennill. A do'n i ddim wedi meddwl ypsetio Mam, oedd yn agos at ddagrau erbyn hyn. Ac mae Dad yn casáu gweld Mam yn crio. Os mai ei fai o ydi o, mae o'n toddi fel lwmp o fenyn ac yn dechrau ei chofleidio hi a rhoi mwytha a swsus iddi nes dwi'n teimlo fel chwdu a gorfod gadael y stafell. Os ydi hi'n crio o achos unrhyw un arall, gwae nhw. Mae o fel gwylio'r Incredible Hulk yn byrstio allan o'i grys.

Ac ro'n i'n gallu clywed y pwythau'n popio yn barod, felly mi wnes i ymddiheuro i Mam. Ac mi wnaeth hi nodio'i phen, ac aeth wyneb Dad 'nôl i liw normal eto.

Wedyn es i i'r ysgol, am ddiwrnod ola'r tymor. Ac mi daflais i'r *&$@?! cerdyn i mewn i'r wheely bin agosa.

Dwi ddim yn gwbod be ydi'r pwynt o fynd i'r ysgol ar y diwrnod ola. Does 'na neb yn gwneud dim – ar wahân i athrawon Maths, sydd wastad yn wahanol i bawb arall ac isio mynd dros hafaliadau cydamserol hyd yn oed os ydi hi'n wers ola'r pnawn olaf un cyn y gwyliau. Pobol od.

Ia, diwrnod diflas arall ges i, mwy diflas nag arfer hyd yn oed, diolch i gwisys pathetic athrawon sy'n trio bod yn hip:

"Beth oedd enw albwm cyntaf y Storyphonics?"

A gorfod chwarae hangman efo Ashley Philpot.

"Yes! A ti'n well hung eto! Ti'n really crap at this game, Sion. Bydden i'n weipo'r floor 'da ti mewn Scrabble." Ro'n i o fewn dim i fflipio a'i ddefnyddio fo fel cadach llawr. Neu ei grogi o. Ond wnes i ddim. Dim ond pwdu drwy'r dydd. A dychmygu taflu darts at lun o Ceri. Mi fydda CD Westlife wedi bod yn well na cherdyn Dolig fel'na. Ast.

Rhywbryd yn ystod yr awr ginio, es i am bisiad. Ro'n i wrthi'n fodlon braf, yn dychmygu mod i'n piso mewn i sgidia Ceri, pan ddoth 'na foi mawr tywyll i mewn – y boi giciodd y bêl at fy mhen i. Ac mi ddoth at yr urinal agosa ata i. O, dyma ni ... trwbwl eto, meddaf fi wrthaf fi'n hun. Ro'n i'n trio rhoi stop ar y llif er mwyn i mi gael mynd oddi yno, ond roedd fy mhledran i'n ddiddiwedd, yn dal i fynd, a dal i fynd, jest er mwyn gwneud bywyd yn anodd i mi. Uffar o beth ydi o pan mae dy bledran dy hun yn cynllwynio'n dy erbyn di. Felly dyna lle ro'n i'n piso, ac yn disgwyl stid gan y wardrob o foi mawr chwe troedfedd 'ma unrhyw eiliad. Ond nath o'm byd. Ac mi sbiodd lawr arna i. Allwn inna ddim peidio gweld be oedd ganddo ynta. Roedd o'n fwy na fi lawr fan'na hefyd. Lot mwy. Bastad. Wedyn mi siaradodd, mewn llais bas bottom-D rwla rhwng Barry White a Frank Bruno.

"Rhaid bod y Chinese yn gwitho'n llawer caletach na ni."

Do'n i ddim yn siŵr o'n i wedi clywed yn iawn.

"Sori?"

"Wel, sens yn gweud on'dyw e?"

"Ym ... yndi?" Do'n i'm yn gwbod lle i sbio, felly mi ddaliais i sbio lawr ar y llif diddiwedd. Mae'n rhaid mai un o'r cwestiynau cas 'na oedd hwn, a dim ond i mi ddeud gair allan o le, mi fyswn i'n fechdan ar lawr yn gweld sêr a nannedd yn yr urinal.

"Popeth yn 'Made in China' on'dyw e?"

Wedyn nes i sylwi ar y sgrifen 'Made in China' ar y porcelain gwyn o mlaen i. Ac mi ro'n i'n gallu anadlu eto.

"So ni'n cynhyrchu dim yn y wlad hyn nawr, t'wel. Dim glo, fowr ddim dur, dim ond ceir Japanese. Ac ma' amaethyddiaeth yn mynd lawr y pan. A ma' America'n cymryd drosodd. Ein diwylliant ni, popeth. McDonald's rŵls. Cyfalafiaeth yw'r duw modern, t'wel."

Wedyn mi roddodd sgwd iddi, cau ei falog ac estyn ei law i mi.

"Mosh," cyhoeddodd yn ddwfn. Mosh? Drymiwr Penbwl? Doedd 'na'm golwg penbwl ar hwn. Mwy o Meatloaf, efo testosterone ychwanegol. Ar ôl eiliad o ddod dros y sioc, mi ysgydwais ei law.

"Sion."

"Sion," meddai Mosh yn bwyllog, "ti'n pisho dros fy sgidie i."

Roedd o'n iawn. Eiliad o fethu canolbwyntio, ac ro'n i wedi diferu dros ei Doc Martens o. Saethodd fy stumog i lawr at fy sodlau. Dyma ni, dyma'r foment ro'n i'n mynd i gael fy Mike Tysoneiddio. Mi allwn i drio ymddiheuro, ond mi fyddai hynny'n gofyn amdani. Beryg iddo gymryd mantais a gneud i mi lyfu ei sgidia'n lân neu rwbath. Mi fyddai'n well gen i gymryd y stîd fel dyn.

Ond y cwbwl wnaeth o oedd ysgwyd ei ben, ysgwyd ei esgid, a mynd. A ngadael i wedi drysu'n rhacs, yn un lobsgows o Big Macs a sweet 'n sour – ac yn dal i biso.

Saesneg oedd y wers ola ond un, ac mi ddoth Ashley Philpot i eistedd ata i eto.

"Ti moyn ware mwy o hangman?" gofynnodd yn awchus.

"Na." Heb arlliw o awch.

"O, pooh. Beth ti moyn ware 'te?"

"Dim."

Ond doedd o'm yn gwrando.

"Fi'n certain bod Monopoly 'da Miss James. Af fi i ofyn iddi nawr … "

Ges i lond bol.

"Ashley, dwi ddim isio chwara Monopoly, na hangman, na draffts, na Tiddlywinks, na uffar o ddim, ocê?"

Edrychodd arna i'n syn.

"Iawn, cool head, man. Sdim isie colli dy rag oes e? Dim ond gofyn o'n i."

"Gofyn amdani ella." Ro'n i'n dal yn flin.

"Beth?"

"Dim ots."

Mi fuodd o'n dwdlo ar y ddesg am dipyn, tra o'n i'n trio darllen erthygl am Santana yn *NME*, wedyn mi fagodd o'r gyts i ofyn cwestiwn i mi eto:

"Ti'n mynd i'r parti 'ten?"

"Pa barti?"

"Christmas party Blwyddyn 10. Nos fory."

"Heb gael gwahoddiad."

"Sdim isie gwahoddiad, y moron! Ti'n Blwyddyn 10 – ti jest yn troi lan!"

"O. Ddeudodd neb wrtha i."

"Fi newydd weud wrthot ti."

"Hm. Ti'n mynd?"

"Well, obviously! Mae Penbwl yn ware!"

Dyna pryd wnes i ddechrau gwrando arno fo go iawn. Penbwl yn chwarae? Diddorol. Diddorol iawn. Mi fyddai'n gyfle i mi eu clywed nhw cyn mentro cynnig fy hun fel aelod – jest rhag ofn eu bod nhw'n llwyth o gachu. Ac mi fyddai hefyd yn ddiddorol gweld Teleri yn mynd drwy ei phethau ar lwyfan ... fel petai.

"Lle mae'r parti 'ma ta?"

"Yn y Llew Du lan yr hewl. Ti moyn dod?"

Roedd y goleuni yn ei lygaid yn ei gwneud hi'n amlwg ei fod o jest â marw isio cwmni. Ond do'n i ddim yn siŵr o'n i am gael fy ngweld yn gyhoeddus efo Ashley.

"Mi wna i feddwl am y peth."

"Sdim llawer o amser 'da ti – ma' fe on nos fory."

"Dwi'n gwbod – ti newydd ddeud wrtha i."

"A ma'r tickets bron wedi 'bennu."

Be?! Soniodd neb am docynnau.

"Lle ga i rai ta?"

"Wel, fi'n gwbod bod Sioned wedi gwerthu mas, a Nadine – a Dylan."

Ro'n i'n dechrau poeni o ddifri rŵan.

"Ond ... ond ... lle – pwy – ma'n rhaid bod 'na un ar ôl gan rywun! Pwy'n union oedd yn gwerthu'r tocynnau 'ma?"

"Wel, actually ... " meddai Ashley yn foethus o araf, gan fwynhau pob sillaf, "Sioned ... Nadine ... Dylan ... a fi."

"Chdi?!"

"Neb llai."

"Wel, y —!"

"Nawr nawr, watsha dy iaith ... "

Roedd y diawl bach wrth ei fodd.

"Iawn, oes gen ti docyn i mi?"

"Possibly."

"O, ty'd 'laen! Oes gen ti neu beidio?!"

Tynnodd docyn bach melyn allan o'i boced, a'i ddal o mlaen i gyda gwên. Estynnais amdano, ac ar yr eiliad olaf, tynnodd y crinc y tocyn o ngafael i.

"That'll be pedair punt, plîs ... "

Ro'n i o fewn dim i roi dwrn yn ei wyneb o. Ac yn ffodus iddo fo, mi sylweddolodd hyn heb i mi orfod deud gair. Diflannodd y wên smyg.

"Gei di dalu fi nes mla'n os ti moyn."

Mi gymerais i'r tocyn a sbio arno fo.

PARTI NADOLIG BLWYDDYN 10

Y LLEW DU

NOS SADWRN RHAGFYR 19

8 TAN YN HWYR.

'PENBWL' O 10 YMLAEN.

£4

GWISGWCH YN DEIDI!

"Be mae 'gwisgwch yn deidi' yn 'i feddwl?" gofynnais yn syth.

"Gwisgo'n smart."

"Ia, dwi'n gwbod hynny, dwi 'di bod yma'n ddigon hir i ddallt eich iaith chi – jest – pa mor 'deidi' ydi 'teidi'? Dwi'm yn gorfod gwisgo tux na'm byd yndw?"

"Wel, wy'n gwisgo un."

"Wyt mwn, ond be am bawb arall?"

"Ni dipyn mwy sophisticated man hyn nag yn Himalayas Eryri, ti'n gwbod."

"Ti'm yn deud – wnei di ateb y cwestiwn, plîs, Ashley?"

"Wel, bydd rhai mewn tux, a rhai mewn crys a tei, dependo ar yr individual on'dyw e?"

Oedd, mae'n siŵr. Ond do'n i dal ddim yn siŵr be fyddai tux yn ei ddeud amdana i fel unigolyn. Ro'n i wedi meddwl holi rhywun mwy dibynadwy nag Ashley cyn dal y bws adre, ond ches i'm cyfle. Roedd Mam yn disgwyl amdana i tu allan i giât yr ysgol.

"Haia, del!" gwaeddodd dros bob man, nes bod pawb yn troi i sbio ar bwy roedd hi'n gweiddi a chwifio'i llaw. Ro'n i isio marw.

"Haia, del!" dynwaredodd un o hogia Blwyddyn 11 yn fy nghlust i wrth basio, cyn troi at ei fêts a chwerthin. Grêt. Diolch, Mam. Mae gen i syniad go lew be fydd y criw yna'n fy ngalw i o hyn allan. Pam fod rhieni â chyn lleied o synnwyr cyffredin dwch? Wel, fy Mam i o leia.

"Be dach chi'n da yma?" meddwn i wrth suddo i mewn i'r sedd flaen.

"O, Sion, paid â bod fel'na," meddai hitha, gan sbio arni'i hun yn lle sbio ar y traffig yn y drych. "Ma' hi'n Ddolig. Meddwl 'swn i'n treatio chdi i lifft adra. Dwi 'di bod yn siopa."

"Na..? Fyswn i byth wedi deud ... " Ro'n i eisoes wedi sylwi bod y sedd gefn yn orlawn o fagiau.

"A dwi wedi prynu tocynnau i chdi, fi a Dad fynd i weld Max Boyce yn Abertawe nos fory. Presant Dolig i ti!"

O na ..."Nos fory?"

"Ia. Pam? Oes 'na broblem?"

"Wel ... oes. Mae gen i barti."

"Parti pwy?"

"Blwyddyn 10."

"Yn lle?"

"Y Llew Du."

"Tafarn?!"

"Ia, pam? Oes 'na broblem?"

"Wel oes debyg iawn! Dim ond pymtheg oed wyt ti!"

"Tydi hynny'n amlwg ddim yn broblem ffor'ma."

"Sion! Chei di ddim mynd, a dyna ddiwedd arni!"

"O, Ma-am!"

Ges i'r un peth gan Dad ar ôl cyrraedd adra. Yr un hen araith, ei fod o'n blisman, yn cynrychioli cyfraith a threfn a ballu, a sut esiampl oedd o'n ei roi os oedd mab plisman yn slotian mewn tafarn ac yntau'n ddim ond pymtheg oed, meddylia'r ffys fyddai yn y wasg, ayyb ayyb ayyb, nes ro'n i jest â rhoi mhen yn y popty er mwyn cael llonydd. Mi wnes i drio pwyntio allan eu bod nhw wedi nghyhuddo i o beidio gwneud ymdrech i wneud ffrindia'n yr ysgol, a rŵan dyma fi'n gwneud ymdrech i gymdeithasu efo nhw, a fy rhieni'n gwrthod gadael i mi fynd!

"Ac yn waeth na hynna, dach chi'n cymryd yn ganiataol mod i'n mynd i feddwi'n dwll! Dim ond cael ei gynnal mewn tafarn mae o – *yfed* coke fyswn i, nid ei blincyn snortio fo!"

Roedd y ddau'n dawel wedyn. A dyna pryd wnes i

benderfynu rhoi'r gora iddi a mynd i'r llofft i bwdu. Mi rois i Ash ar y CD, gorwedd ar fy nghefn ar y gwely a gadael i'r nodau nofio drosta i, nes roedd pob dim – Ceri a'i cherdyn Dolig o uffern, Ashley a'i duxedo, Mosh a'i Doc Martens, Mam a Dad a'u culni afresymol – yn angof. Mae miwsig yn gneud hynna i mi. Mae rhai pobol angen cyffuriau, rhai angen rhyw (dim gobaith am hynny i mi!), rhai angen galwadau ffôn diddiwedd; ond dwi angen cerddoriaeth. Does 'na ddim byd arall sy'n gallu – dwi ddim yn gwybod sut i'w ddisgrifio fo – mae o'n clirio fy meddwl i rywsut – gollwng rhyw gemegyn tu mewn i mi – yn fy mhen i a nghorff i gyd – a weithia mae'r un miwsig yn gallu gneud i mi wenu un tro, a chrio dro arall. Mae'r geiriau'n eitha pwysig hefyd:

" ... roman candles that burn in the night,

yeah, you are a shining light,

you lit a torch in the infinite, yeah,

you are a shining light

yeah, you light up my life ... "

A'r darn am y 'full-on chemical reaction', wrth gwrs. Felly fues i'n cael ffantasis amdana i'n rhedeg law yn llaw yn y gwyll drwy gae o glychau'r gog efo hogan ddel efo cannwyll yn ei llaw, oedd yn uffernol o debyg i Teleri, yr hogan, ddim y gannwyll. Dwi licio bob math o fiwsig, stwff fel Big Leaves ac Anweledig, yn dibynnu sut dwi'n teimlo ar y pryd, ond ro'n i'n teimlo fel gwrando ar Ash tro 'ma. A chyn pen dim, ro'n i'n teimlo'n iawn eto, yn fi fy hun, a doedd bywyd ddim mor ofnadwy o lwyd.

Mae'n rhaid ei fod o wedi cael effaith ar Mam a Dad hefyd (ro'n i wedi bod reit hael efo'r volume control) achos mi ddoth 'na gnoc ar y drws.

"Ia?" meddwn yn gysglyd. A daeth pen Mam i mewn,

yna pen Dad.

"Ti'n iawn 'mach i?" gofynnodd Mam yn ofalus.

"M." Wedyn mi ddoth gweddill eu cyrff i mewn i'r llofft, ond gan aros yn barchus wrth y drws.

"Meddwl oedden ni ... " meddai Dad, "ella ein bod ni wedi bod braidd yn fyrbwyll."

"O?"

"Ia," ychwanegodd Mam, "ti'n llygad dy le. 'Dan ni'n cwyno nad wyt ti'm yn gwneud ymdrech i wneud ffrindia, wedyn yn gwrthod y cyfle hwnnw i ti."

"Felly," meddai Dad, yn ei lais plisman, "mi rydan ni wedi penderfynu y cei di fynd i'r parti 'ma. Awn ni i weld Max Boyce. Beryg fod hwnnw braidd yn rhy henffasiwn i chdi beth bynnag yntydi?"

Wel, os oes 'na ddewis rhwng Max Boyce ac Ali G, dwi'n gwbod pa un fyddwn i am ei weld, ond wnes i'm deud hynny. Y cwbwl wnes i oedd nodio mhen, a deud:

"Beryg."

A dyna ni. Popeth yn iawn eto. Dwi'n cael mynd i'r parti. Dwi m'ond angen dod o hyd i tux yn rhywle rŵan.

Dydd Sul, 20 Rhagfyr

Roedd neithiwr yn anhygoel. Mewn mwy nag un ffordd. Ond mi ddechreua i yn y dechra.

Mae'n rhaid mod i wedi tyfu. Amser brecwast, mi wnes i sôn wrth Mam mod i angen tux, ac mi adawodd y stafell yn syth. Mi ddoth hi'n ôl efo un o tuxes Dad.

"O, dewch 'laen, Mam!" protestiais i, "fedra i'm gwisgo dillad Dad! Mae o'n anferth!"

"Sion bach," meddai hi, "dwyt ti ddim mor fach

bellach. Tria fo. Dwi'n meddwl gei di sioc."

Ac mi ges i sioc. Ar fy nhin. Roedd y tux yn fy ffitio i'n berffaith! A deud y gwir, roedd o'n fy siwtio i hefyd. Ro'n i'n edrych yn blydi grêt.

"Ond ers pryd dwi 'run maint â Dad?" gofynnais, gan sbio ar fy hun yn y drych. Ddim mod i'n edrych arnaf fi'n hun yn y drych yn aml, wrth gwrs. Gwenodd Mam.

"Paid â sôn dim wrtho fo," meddai, "ond mae dy dad wedi tyfu chydig dros y blynyddoedd. Tydi'r tux yma ddim yn cau am ei fol o ers sbel go lew. Pan sylwais i hynny, ddeudis i'm byd, dim ond prynu tux yn union yr un fath, ond seis neu ddau yn fwy. Doedd o ddim callach."

Ac wedyn ro'n inna'n gwenu. Na, fyddai Dad byth yn gallu derbyn ei fod o'n magu bol. Mr Ffit yn troi yn Mr Lard? Mr Bloneg? Nefar in Iwrop, gwd boi!

Ro'n i'n dechra edrych mlaen at y parti rŵan. Ac am y tro cynta ers misoedd, ro'n i'n mynd o gwmpas y lle efo gwên ar fy wyneb. Wedyn, mi ffoniodd Ashley.

"Helô, Ashley ... "

"Ie, meddwl o'n i, wyt ti moyn i fi ddod heibo ti heno? Wy'n cael lifft 'da Dadi."

Do'n i ddim yn siŵr. O'n i isio cyrraedd y Llew Du efo Ashley Philpot? Fyddai hynny'n peryglu unrhyw siawns oedd gen i o gael fy nerbyn gan griw mwy ... wel ... normal? Ond do'n i'n nabod fawr neb arall, ac mae hi wastad yn haws cerdded mewn i rywle newydd efo rhywun arall, rhywun sydd wedi arfer, yntydi? Ddim mod i'n hen fabi, ddim o gwbwl. Ond doedd digwyddiadau'r misoedd dwytha ddim wedi gwneud llawer i fy hyder i. Felly:

"Ia, iawn. Faint o'r gloch?"

"Cwarter i wyth?"

"Iawn. Wela i di ta."

Am chwarter i wyth ar y dot, canodd y gloch.

"Sio-on?!" bloeddiodd Mam, "mae Ashley yma!"

Edrychais drwy ffenest fy llofft, a gweld anferth o Daimler du wedi'i barcio tu allan. Doedd teulu'r hen Ashley ddim yn brin o geiniog neu ddwy, felly. Ella mai dyna pam ei fod o mor od. Mae pres yn gneud hynna i rai pobol, tydi? Sbia ar Posh a Beks. A Michael Jackson. Ond ella mai enwogrwydd sy'n eu gneud nhw'n rhyfedd, fwy na'r pres. Dwn i'm, a cha i byth wbod. Fydda i byth yn gyfoethog nac yn enwog. Oni bai mod i'n cael chwarae rygbi i Gymru – a dim ond enwog fyddwn i wedyn. Neu'n cael rhan yn *Pobol y Cwm*, a dim ond cyfoethog fyddwn i wedyn. Neu'n ymuno efo Penbwl ac yn dilyn ôl traed y Manics neu'r Super Furries. Mi fyswn i'n cael y ddau beth wedyn. Ond ella mai breuddwyd ffŵl ydi hynny. Ond mae breuddwyd felly'n well na dim breuddwyd o gwbwl yntydi?

Ta waeth, es i lawr, a fan'no roedd Ashley, mewn tux gwyn, crys gwyn a throwsus du, a sgidia du oedd â chymaint o sglein arnyn nhw ro'n i angen sbectol haul. Ac roedd ei wallt o'n edrych yn rhyfedd. Gormod o 'gel' dwi'm yn amau. A hwnnw wedi dechrau diferu dros ei goler o.

"Ready to roll, pardner?" meddai mewn llais oedd yn trio swnio fel John Wayne – ac yn methu. Ond roedd Mam wrth ei bodd, yn giglan fel hogan chwech oed.

"Dwi'n licio dy ffrind bach newydd di," sibrydodd yn fy nghlust wrth i mi fynd. O-o. Os oedd Mam yn licio fo, doedd hynny ddim yn arwydd da. Roedd hi'n casáu Id, Cai, Tycanol a Dyl, o'r munud welodd hi nhw, a phan welodd hi Ceri ... wel! Ond ella ei bod hi'n iawn ynglŷn â'r bitsh bach 'na hefyd.

Roedd acen Mr Philpot senior hyd yn oed yn fwy crand nag un i fab. A doedd o'm yn siarad gair o Gymraeg, er ei fod o'n byw yma ers 1971. Felly ddeudis i fawr ddim wrtho fo. Mae trio siarad Saesneg efo rhywun fel'na'n codi ofn arna i. A do'n i'm yn deall hanner be oedd o'n ei ddeud oherwydd yr homar o fwstásh oedd ganddo fo. A deud y gwir, o'n i methu tynnu fy llygaid oddi arno. Mi allai o gadw wiwer yn y mwstásh 'na, a fyddai neb ddim callach. Y cwbwl ddalltes i oedd mai fo a'i wraig oedd pia'r clwb golff, y maes carafannau a'r boutique yn y stryd fawr, a llwyth o dai o gwmpas y lle. Heb sôn am Porsche yn ogystal â'r Daimler. Digon i godi cyfog ar rywun.

Ro'n i reit falch o gyrraedd y Llew Du, hyd yn oed os oedd mynd yn y Daimler fel cael reid ar soffa. Un foethus, ledr.

Aethon ni mewn. Doedd 'na affliw o neb wrth y bar. Does 'na neb yn cyrraedd ar amser, debyg iawn, neb ond Ashley Philpot – a fi.

"Lle mae pawb?" gofynnais, yn dechrau amau mai rhyw dric sâl oedd hyn i gyd, i dwyllo'r 'bachgen newydd'.

"Paid â cael dy nicyrs mewn twist," gwenodd Ashley, "fyddan nhw 'ma nawr in a minute. Reit, beth ti moyn?"

Edrychais ar y boi tu ôl i'r bar, yna ar Ashley. Os o'n i'n gofyn am coke, mi fyddai'r boi yn gwbod mod i dan oed. A doedd Ashley'n rhoi dim cliwiau i mi, dim ond yn tynnu papur decpunt o'i waled.

"Dw'n i'm," meddwn yn ffwrdd-â-hi, "be ti'n gael?"

"Gin and tonic fi'n credu. Aperitif bach."

"Iawn, gymra inna'r un peth ta." Er nad oeddwn i erioed wedi cyffwrdd y stwff o'r blaen. Trodd y ddau ohonom i wynebu'r boi tu ôl i'r bar. Roedd 'na eiliad o oedi, tra oedd o'n chwarae efo'r syniad o holi a oedden ni'n ddeunaw, wedyn mi nodiodd, ac estyn dau wydr, a throi at y botel fawr o Gordons ar y wal. Ffiw! Roedden ni'n saff.

Dri chwarter awr, a dau G&T yn ddiweddarach, llifodd Blwyddyn Deg i mewn, yn swnllyd, yn amlwg wedi bod yn yfed yn rhywle arall, a neb – neb o gwbwl – mewn tux. Roedd y genod yn smart – ond nid mewn ffrogiau llaes – ac roedd y bois yn daclus – ar y cyfan – ond nid mewn tux. Crysau, efo ambell dei, ond 'run fflipin tux.

"Diolch, Ashley," meddwn dan fy ngwynt.

"Croeso," meddai yntau, "ond am beth exactly?" Mi lwyddais i rwystro fy hun rhag tywallt gweddill fy G&T dros ei ben o. A ph'un bynnag, roedd 'na gymaint o gel yn ei wallt o, mi fyddai'r ddiod jest wedi llifo i ffwrdd fel oddi ar gefn chwaden – neu oil-slick.

"Oi – pispot!" gwaeddodd rhywun, "Ashley Pispot! Lle ti'n mynd? I'r opera neu'r sw – at weddill y pengwins?!"

"Fe a'i sboner!" gwaeddodd rhywun arall.

Cariad ydi sboner. Ond pa gariad oedd gan Ashley? Wedyn dyma fi'n sylweddoli at bwy roedden nhw'n cyfeirio ... NAAAAAAA!!! Ro'n i isio mynd adra – y munud hwnnw. Es i i'r lle chwech yn lle hynny. Ac eistedd ar y pan am oes yn fan'no yn trio meddwl sut i ddod allan o hyn, neu o leia sut i wella'r sefyllfa. Ac mi ges i syniad. Meddwi Ashley yn rhacs fel ei fod o'n gorfod mynd adra'n gynnar – hebdda i. Oedd, roedd o'n syniad cas, a chwbl annheg mae'n siŵr. Ond roedd y sefyllfa'n gofyn am ateb drastig – ac roedd hi'n ddewis rhwng Ashley neu fi.

Felly pan es i'n ôl, mi wnes i dywallt gweddill fy gin i mewn i'w wydr o heb iddo fo sylwi, ac yna ordro tequilas i ni – a gwneud iddo fo eu clecio – eto – ac eto. Roedd o'n rhy chwil i sylwi mai dim ond y fo oedd yn gwneud hyn.

O'r diwedd, ac yntau ar ganol trio canu "Pwsi Meri Mew" yn steil AC DC, trodd wyneb Ashley yn lliw rhyfedd – rhywle rhwng llwyd a gwyrdd. Ac yna disgynnodd oddi ar y stôl. Chwarae teg, mi wnes i ei ddal o cyn iddo fo gnocio ei hun allan. Dwi ddim mor gas â hynna.

"Fi moyn Mami!" ebychodd. "A fi moyn—" Ond roedd hi'n rhy hwyr. Tywalltodd gynnwys ei stumog dros ei sgidiau o, fy sgidiau i, a'r carped. Asiffeta! Do'n i ddim wedi disgwyl iddo fo feddwi cweit mor ofnadwy, mor sydyn. Ond Ashley ydi o yndê? Roedd pawb arall yn meddwl fod y peth yn hynod o ddigri, ond ro'n i'n teimlo braidd yn euog.

Ro'n i'n teimlo'n waeth wrth siarad efo'i fam ar y ffôn.

"Yes ... no, not too well I'm afraid. Food poisoning? Well, possibly. Or coming down with the flu or something, yeah? Ten minutes? Great. Thank you – and ... sorry."

Ro'n i'n teimlo y dylwn i ymddiheuro, hyd yn oed os oedd hi'n meddwl mai cydymdeimlo ro'n i.

Chwarter awr yn ddiweddarach, ro'n i'n codi llaw ar y Daimler yn gyrru i ffwrdd, a phen Ashley yn hongian allan drwy'r ffenest – ond nid er mwyn codi llaw arna i, y creadur. Mi wnes i ystyried mynd adre fy hun, ond dim ond chwarter i ddeg oedd hi. Edrychais ar fy sgidiau. Ych. Mi sychais y darnau bach o foron i ffwrdd yn y glaswellt, anadlu'n ddwfn, ac yna es i'n ôl mewn, gan adael i hen foi efo gwallt gwyn fynd mewn o mlaen i (jest rhag ofn y byddwn i angen 'character witness') ac ordro peint o ddŵr. Dwi ddim yn hollol ddwl. Fiw i mi wneud ploncar ohonof fi'n hun rŵan.

Roedd y sŵn yn anhygoel, fel sy'n digwydd pan fydd 'na alcohol o gwmpas y lle. Doedd pawb ddim mor hurt ag Ashley a fi – roedd 'na lwyth ohonyn nhw'n yfed, oedd, ond dim ond digon i ymlacio, ac roedd rhai yn mwynhau eu hunain yn iawn efo coke neu lemonêd. Ond mi welais i Elfair Teifi, merch y gweinidog, yn cael ei chario i'r lle chwech gan ei ffrindiau ... ond mae hi'n rêl hen het beth bynnag. Digwydd yn amal efo plant gweinidogion, tydi? A phlant plismyn, erbyn meddwl.

Draw ym mhen pella'r stafell, ro'n i'n gallu gweld Mosh yn gosod ei ddrymiau, ac un o ganolwyr y tîm rygbi hŷn yn ffidlan efo amp ei gitâr. Ro'n i wedi ei weld o'n chwarae y Sadwrn cynt. Dydi o'm yn ddrwg, ond braidd yn hunanol ac yn prima donna os ti'n gofyn i mi. Doedd gen i ddim syniad be oedd ei enw fo chwaith. Holais un o'r bois wrth y bar:

"Pwy ydi'r boi efo'r gitâr?"

"Pwy nawr? O, fe? Jason Wilcox. Brawd Lara."

"Lara?" Doeddwn i ddim yn cofio pwy oedd hi am eiliad. Nes iddi hi a'r Cotton Buds ddechrau cerdded tuag ata i, a Lara mewn sgert oedd mor fyr, nes ei bod hi'n dod â dŵr i fy llygaid.

"Haia!" gwichiodd Lara. "Ffwoo! Ti'n edrych yn lysh!"

"Lyyysh!" adleisiodd y Cotton Buds.

Do'n i ddim yn siŵr iawn sut i ymateb. Do'n i chwaith ddim yn siŵr a o'n i eisiau i'r tair yma feddwl mod i'n lysh. Ac yn bendant, do'n i ddim yn teimlo'n lysh. Ar wahân i ystyr arall y gair – ond ro'n i'n trio ngorau i sobri.

Ac yna, cerddodd Teleri heibio. Roedd hi'n edrych yn fendigedig, ei gwallt hi'n sgleinio a'i chorff hi'n symud fel cath ar draws y stafell. Dyma be oedd gwir ddiffiniad o'r gair 'lysh.' Ac am ryw reswm, mi welodd hi fi wrth basio. Ac mi oedodd am chydig; sbio arna i, pob 5′ 10″ ohona i, a rhoi gwên fach i mi. Ro'n i'n gwbod yn syth mai tynnu arna i oedd hi, yn meddwl mod i'n edrych rêl twmffat tuxedig ynghanol pawb. Anghofiais i bob dim am deimlo'n euog ynglŷn ag Ashley. Y funud honno, mi allwn i'n hawdd fod wedi crogi'r diawl. Ond yna:

"Smart iawn," meddai Teleri.

"Ha," medda fi, heb drafferthu i ychwanegu'r 'ha' arall.

"Na, wir nawr," meddai, "ma fe'n siwto ti. Ti'n edrych mor ... soffistigedig ynghanol yr anifeilied anwaraidd eraill hyn."

Soffistigedig? Fi? Mae'n rhaid fod fy ngên i wedi taro'r llawr a gwneud i ngheg i edrych fel ceg pysgodyn neu rywbeth. Rhoddodd Teleri ei bys o dan fy ngên.

"Paid â sbwylo fe," gwenodd, ac i ffwrdd â hi am y llwyfan. Ond allwn i yn fy myw â chau fy ngheg. O hynny ymlaen, dim ond Teleri oeddwn i'n gallu gweld. Roedd Lara a'r Cotton Buds yn gwichian rhywbeth wrtha i, roedd y boi wrth y bar yn fy holi lle ges i'r tux, ond allwn i ddim ateb. Roedd fy llygaid i, fy nghalon i, a nghorff i i gyd yn eiddo i Teleri, ac mi roedd fy ngên i, lle gwnaeth ei bys hi gyffwrdd, yn groen gŵydd ac ar dân yr un pryd. Ro'n i wedi syrthio mewn cariad.

Roedd hi ar y llwyfan erbyn hyn, yn gafael yn y meic, a'r golau y tu ôl iddi yn goleuo ei gwallt nes ei fod o'n edrych fel rhywbeth mewn breuddwyd. Tarodd Mosh y drymiau er mwyn cael sylw pawb. Ac yna dechreuodd Teleri siarad:

"Helô, pawb! Ni yw Penbwl!" Dechreuodd pawb floeddio, clapio a chwibanu a gwthio at flaen y llwyfan, gan gynnwys Lara a'r Cotton Buds, diolch byth. Ond ro'n i wedi fy hoelio i'r stôl wrth y bar. "Diolch yn fawr ... " meddai Teleri mewn llais llawer dyfnach na'i llais arferol. "Diolch yn fawr. Reit, ni'n mynd i ddachre gyda'n fersiwn ni o Space Oddity gan yr athrylith David Bowie. Ni wedi dewis y gân yma achos mae'n sôn am fynd ar daith, a dyna beth ŷn ni'n neud, mynd ar daith trwy gerddoriaeth, a cheisio ... "

Ro'n i wedi fy hypnoteiddio. Ond roedd Mosh yn amlwg wedi cael llond bol ar yr araith, a tharodd un o'r drymiau'n ddiamynedd.

"Well i ni ddachre," gwenodd Teleri. "Space Oddity. Diolch."

Ac yna dechreuodd Penbwl chwarae, a dechreuodd Teleri ganu. Roedd hi'n fendigedig. Llifai ei llais i lawr fy asgwrn cefn fel triog melyn yn diferu dros ddarn o dost, yn gynnes, felys. Llais fel un Sinead O' Connor, ond yn ddyfnach. Roedd y dorf wedi eu swyno ganddi hefyd. Roedd Penbwl yn dda. Wedyn mi ddechreuon nhw ganu rhywbeth oedd yn debyg iawn i Layla gan Eric Clapton, ac wrth gwrs, mi fynnodd Jason wneud solo ar y gitâr. Roedd o'n eitha da, dim byd arbennig, mwy o ffrils nag o sylwedd, ond roedd y genod yn y dorf yn gwlychu eu hunain. Mae'n siŵr ei fod o'n edrych yn Mr Mega Cŵl yn ei drowsus lledr du, ei grys du a'r headband ponsi 'na am ei ben. Posar. A do'n i ddim yn licio'r ffordd roedd o'n edrych ar Teleri wrth strymio'i gordiau. Ond doedd hi ddim yn cymryd llawer o sylw ohono fo, gan ei bod hi'n ei byd bach ei hun, ar goll yn y miwsig. Roedd hi'n gwisgo trowsus oedd hefyd yn sgert, fel Kylie yn y fideo 'na, a bob hyn a hyn ro'n i'n gweld ei choesau noeth hi. Ac ro'n i'n gallu gweld ei breichiau noeth hi drwy ddefnydd mesh ei llewys. Ro'n i'n teimlo'n chwil eto.

Roedd 'na ferch arall ar y llwyfan, yn chwarae'r gitâr fas. Hogan fain, dal – talach na Jason. Gwallt byr, rhywle rhwng coch a brown. A doedd hi ddim yn gwenu – o gwbwl – byth. Ond roedd hi'n gallu chwarae.

Mi fuon nhw'n chwarae pob math o betha, ond dim caneuon gwreiddiol. Cover versions oeddan nhw i gyd, ond y clasuron: 'Yn Erbyn y Ffactore' Edward H Dafis (llais bas Mosh yn amlwg yn honna), 'Johnny B. Goode' Chuck Berry (Jason yn ei elfen efo'i solo gitâr wrth gwrs), 'Stairway to Heaven' Led Zeppelin (Jason yn cymryd y sylw i gyd eto. Ro'n i'n dechrau amau mai fo oedd yn dewis y caneuon) a chydig o stwff Bob Marley. Roedd yr hogan dal ar y bas ar ei gorau efo'r rheiny, ond Teleri oedd y seren drwy'r cwbl. Roedd ei llais hi'n siwtio pob steil dan haul, a faint o bobol fedar wneud hynny? Roedd hi'n gallu symud mor dda i'r caneuon bywiog, rhywiol, ond yn y caneuon araf, mwy trist, roedd 'na rwbath mwy arbennig eto yn dod allan ynddi, rhyw dristwch dwfn oedd yn dod â dagrau i lygaid pawb oedd yn gwrando arni. Ac roedd hi'n edrych mor fach a bregus. Ro'n i isio mynd i fyny ati i'w chofleidio, ei chysuro, gadael iddi grio ar fy ysgwydd i.

Pan ddaeth y set i ben, ro'n i jest â marw isio mynd i'r tŷ bach, ond ro'n i hefyd isio siarad efo Teleri, isio deud wrthi pa mor wych oedd hi, mod i wedi gwirioni efo hi, ei bod hi'n goleuo mywyd i, mod i isio edrych ar ei hôl hi.

Na!! Callia, Sion ... mi fydd hi'n chwerthin yn dy wyneb di, meddaf fi wrthaf fi'n hun jest mewn pryd – roedd hi'n dod at y bar. Tria'i chanmol hi heb ei gor-wneud hi. Paid â bod yn prat. Am unwaith. Cŵl-hed, stopia chwysu (roedd fy nwylo i'n wlyb domen) a phaid â gwenu fel rwbath allan o 'The Shining'. Oedd Jack Nicholson yn gwenu yn honna, ta jest sgyrnygu? Dwi'm yn cofio. Pam mod i'n meddwl am Jack Nicholson? Am mod i'n trio meddwl am Teleri. Naci, trio peidio meddwl am Teleri. Trio meddwl be fedra i ddeud wrthi. Heb swnio fel prat.

Ond mi *rydw* i'n prat. Roedd hi'n dod tuag ata i efo gwên swil. Ro'n i isio gwenu'n ôl ond roedd gen i ofn gwenu gormod. Ro'n i isio mynd adra.

"Wel?" gofynnodd Teleri'n swil.

"Wel," meddaf fi, "wel wel."

Edrychodd arna i'n od. Dwi'm yn ei beio hi. Wel wel?!

"Ym. Da iawn," medda fi yn y diwedd. Ac yna: "Esgusoda fi, mae'n rhaid i mi fynd i biso." Ac mi heglais i hi am y tŷ bach.

Prat.

Pan ddois i'n ôl, roedd Penbwl i gyd yn eistedd mewn cornel efo'i gilydd, ac edrychodd Teleri ddim arna i unwaith. Taswn i'n foi efo steil, mi fyswn i wedi gallu prynu diod iddi a mynd â fo iddi o flaen pawb, gan ei llongyfarch ar ei pherfformiad. Ond gan mod i'n prat heb unrhyw fath o steil, mi fydda pawb wedi chwerthin am fy mhen i. Felly wnes i ddim.

Roedd yr ail set yr un mor slic, ond roedd Lara'n hongian o nghwmpas i eto.

"Ti'n lico nhw – cŵl on'dyn nhw – Jason yn bril on'dyw e? Fi yw ei 'war e, a wy'n ei helpu fe i ddewis ei wardrob ... "

"Be wyt ti? Arbenigwraig ar wardrobs?"

"Hi hi hi! Ti mor ffyni!" Ac roedd yr het wirion o ddifri. Trio bod yn sych ro'n i, er mwyn cael gwared ohoni, ond rŵan roedd hi'n meddwl mai fi oedd y peth doniola ers Ali G. Typical. Dwi'n llwyddo i ddenu'r genod dwi'm llwchyn o'u hisio nhw, a gwneud drong llwyr ohonof fi'n hun efo'r genod dwi'n eu ffansïo. Mae bywyd yn gallu bod yn hen sinach weithia. Weithia? Bron yn ddi-ffael yn fy achos i.

Ta waeth, mi ddoth y noson i ben. Roedd y dorf wedi gwirioni, wedi cael dau encore ac yn dal i udo am fwy, roedd Penbwl yn gwenu fel giatiau, ar wahân i'r hogan dal, ac ro'n i mewn cariad. Ac mi wnes i sylweddoli mai dyna'r tro cynta i mi fod mewn gig Cymraeg lle roedd pawb yn cymryd mwy o ddiddordeb yn y grŵp a'r miwsig nag mewn unrhyw beth arall. Tan hynny, ro'n i wedi meddwl mai jest ni sy'n llwyth o ffyliaid alcoholic. Ond ella mai'r grwpiau oedd jest ddim digon da? Ro'n i isio deud hynna wrth Teleri, ond roedd Jason a'i fraich amdani (a'i grys am ei ganol a'i six pack yn sgleinio. Baby oil, garantîd). Ddoth Lara ata i, yn parablu rwbath am barti yn ei thŷ hi.

"Smo pawb yn cael gwahoddiad, dim ond y band, a ... fy ffrindie i." A ges i winc fach awgrymog ganddi. Mi fyswn i wedi licio cael cyfle i siarad efo Teleri, ond roedd hi'n berffaith amlwg fod Jason yn gneud mwy na snwffian o'i chwmpas hi, a do'n i ddim isio gorfod gweld y ddau'n bwyta'i gilydd drwy'r nos, ac yn sicr do'n i ddim isio mwy o Lara Wilcox. Felly es i adra.

Doedd gen i ddim pen mawr bore 'ma. A chan ei bod hi'n wyliau, doedd gen i ddim gwaith ysgol chwaith – wel, dim ond ambell draethawd a phrosiect fedar aros tan ar ôl y flwyddyn newydd. Ond doedd gen i'm clem be i'w neud efo fi'n hun. Ro'n i'n dal mewn breuddwyd, ac roedd bob dim yn f'atgoffa i o Teleri – pob cân, pob rhaglen deledu, pob papur newydd. Felly mi fues i'n chwarae sacs drwy'r pnawn – i gyfeiliant Yn Erbyn y Ffactore, Johnny B Goode, Stairway to Heaven, Exodus — ac er mod i'n ei ddeud o fy hun, mae unawd sacs gystal ag unrhyw unawd gitâr efo rheina. Dwi'n bendant yn mynd i drio cael lle yn y band. Bendant. Ac mae'n rhaid i mi gael Teleri. Wel, ddim ei 'chael' hi, mae hynna'n air anffodus.

Wel ... dwn i'm chwaith. Waeth i mi fod yn onest efo fi'n hun. Ond ddim jest peth rhywiol mo hyn. Dwi mewn cariad efo hi, go iawn. A dwi isio gwrando ar Ash eto.

" ... you are a force, you are a constant
source, yeah, you are a shining light
incandescent in the darkest night ...
my mortal blood I would sacrifice,
for you are a shining light ... "

Mi ganodd y ffôn cyn i'r gân orffen. Ashley. Yn swnio'n uffernol.

"Fi wedi bod to hell and back."

"O?" Ro'n i'n gwingo efo euogrwydd.

"Hwdes i'n gyts mas dros dashboard Daimler Dadi."

"O naddo!"

"O do. Galwyni o'r stwff. Odd e'n ôffyl. A so Dadi wedi siarad 'da fi 'to. A ma Mami'n llefen drwy'r amser."

"Mae'n ddrwg gen i, Ashley."

"Paid â bod yn sofft! Nage dy fai di odd e. Fi odd yn blydi stiwpid yn yfed fel'na."

"Ym ... "

"Felly fi'n grounded tan ddiwedd y flwyddyn."

"Na!"

"Swno'n wath nag yw e – mae'n 20th December nawr cofia. Alle fe fod yn wath."

"Ym ... mae'n siŵr."

"Sai fod i ffono neb chwaith. Especially ti. Ond maen nhw'n rhy brysur yn gweiddi ar ei gilydd i sylwi bo fi ar y ffôn. 'Your son' hyn a 'what do you mean, *my* son?!' a rhyw bethe fel'na. Anyway. Golles i noson dda, do fe?"

"O ... dim byd sbeshal, sti."

"Thank god for that. Ond shwd odd Penbwl? O't ti lico nhw?"

"O. O'n. Oeddan nhw reit dda, oeddan."

"Teleri 'na'n hot stuff on'dyw hi?"

"Yndi. Llais neis."

"Neis?! Ma'r fenyw'n fwy na neis, gog! A 'na pam wy'n mynd i – Damo, ma nhw'n dod i wilo amdano i. Wela i di … " Ac mi roddodd o'r ffôn i lawr. Ashley druan. Ond alla i ddim peidio ag edmygu'r ffordd mae o'n dal i wenu drwy bob dim. Yn wahanol i mi.

Dydd Llun, 21 Rhagfyr

Ges i neges tecst gan rif diarth ar y ffôn heddiw: V ffnsio T. Am eiliad, ro'n i'n meddwl ella mai Teleri oedd yna. Ond tydi hi'm yn gwbod fy rhif i. Felly yrrais i neges yn ôl: Pwy sy 'na? Mi ddoth yr ateb yn ôl yn syth: Lara. T ffnsio V? O na. Wnes i'm trafferthu i ateb. A sut uffarn gafodd hi afael ar fy rhif i leciwn i wbod.

Diwrnod uffernol o ddiflas. Mor ddiflas, fues i ar bored.com am oriau. Ffindies i'r peth Virtual Bubble Wrap 'ma. Uffar o syniad da. Ti jest yn clicio ar y bybls er mwyn eu popio nhw. Hollol hurt, ond dwi licio'r ffordd mae'n gneud celfyddyd allan o fod yn bôrd. Es i ar Frog in a Blender wedyn – briliant. Ond mi ddoth Mam i mewn fel ro'n i ar ganol Hamster in a Microwave. Roedd hi'n poeni mod i chydig bach yn od cyn hyn, ond rŵan mae hi'n berffaith siŵr mod i'n hollol dw-lal. 'Sick' ddeudodd hi os dwi'n cofio'n iawn. Ond mae 'na elfen o hynny ym mhawb sy'n eu harddegau yn'does? Ac ambell un hŷn hefyd. Dwi'n cofio mynd i Wersyll Glan-llyn pan o'n i tua deg, ac mi fwytodd un o'r swogs bry copyn – un byw. Ac mae o'n brifathro parchus yn rwla rŵan. Gneud i rywun feddwl, tydi?

Dwi'm yn teimlo'n Nadoligaidd o gwbwl. Sgwn i be mae Teleri'n neud rŵan?

Dydd Mercher, 23 Rhagfyr

Mae'r tŷ 'ma fel treiffl, yn drimings Dolig i gyd. Mae Mam yn mynd o gwmpas y lle yn canu 'O deuwch ffyddloniaid' drwy'r adeg, a bob tro dwi'n cau neu agor drws mae 'na hanner cant o gardiau Dolig yn disgyn fel dominos oddi ar ryw ddodrefnyn neu'i gilydd. Ond dwi'n dal ddim yn teimlo'n Nadoligaidd. Dwi'm hyd yn oed wedi prynu anrhegion Dolig i neb. Sgin i neb i brynu anrhegion iddyn nhw, heblaw Mam, Dad a Nain. A gwastraff pres oedd un Ceri Grafu Hughes.

A' i i'r dre fory i brynu rwbath i'r rhieni 'ma.

Bôrd drwy nhin ac allan.

Dydd Iau, 24 Rhagfyr

Roedd hi'n uffernol o brysur yn dre. Pawb yn prynu funud ola fatha fi. Ges i focs o beli golff a llyfr mynydda i Dad, ac ro'n i'n y siop chemist yn chwilio am rwbath i Mam pan ddoth Mosh i mewn.

"Shwmai'r pishwr," meddai heb boeni dim am y sioc ar wyneb y ddynes tu ôl y cowntar.

"Ym ... haia," medda finna, gan drio peidio cochi.

"Joiest ti'r gig pwy nosweth?"

"Asu, do. Oeddach chi'n gret."

"Diolch." A dyna'n amlwg oedd diwedd y sgwrs. Trodd i bori drwy'r silffoedd o fagiau molchi, setiau sebon ac ati. Ond ro'n i ar dân isio deud mwy, ond ddim isio swnio fel prat.

"Siopa Dolig wyt ti?" gofynnais yn ffwrdd-â-hi.

"Ie." Nath o ddim hyd yn oed sbio arna i. Trio eto.

"I dy gariad?"

"Na." O. Roedd hwnna braidd yn bendant.

"Chwilio am rwbath i Mam ydw i," medda fi wedyn. "Sgen i'm clem be i gael."

"Snap. Blydi amhosib on'dyw e? A dim ond dylanwad y cyfrynge a chyfalafiaeth byd-eang yw e. Ti'n gwbod bod 'yn fam i wedi rhoi cerdyn i mi bore 'ma – 'Merry Xmas to my darling son'? Ac un yn gwmws yr un peth i mrawd i? So hi erioed wedi neud shwd beth o'r bla'n. Roedd jest ei weud e fore Nadolig yn ddigon da hyd nawr. Gwastraff papur. Hoelen arall yn arch y coedwigoedd. 'Yn fam 'yn hunan ... "

Roedd sgwrs Mosh yn ddigon i ddrysu unrhyw un. Un ai roedd o'n fonosylabig, neu'n rhoi araith faith. Dim byd rhwng y ddau. Do'n i ddim yn siŵr sut i ymateb i'r rant dwytha 'na, felly'r cwbwl wnes i oedd ysgwyd fy mhen mewn cydymdeimlad, wedyn byseddu ambell fag molchi blodeuog.

"Ym ... ro'n i jest isio deud," medda fi'n gloff, "o'n i'n meddwl bo chi'n fwy na grêt."

"Pwy nawr?"

"Penbwl."

"O." Gwên fach.

"Oeddach chi'n briliant. Gwych. Uffar o botensial."

"Ti'n deall miwsig, 'ten?"

"Chydig.

"Ware dy hunan?"

"Yndw."

"Gitâr, siŵr o fod ... "

"Wel, dwi'n gallu, ond sacs ydi'n offeryn i."

Edrychodd arna i'n ofalus.

"Yfe nawr? Ware fe'n dda?"

"Ddim yn ddrwg."

"Hm ... ti'n gwbod bo ni'n wilo am aelod newydd, wyt ti?"

"Glywis i rwbath."

"Ni'n cynnal clyweliade nos Lun."

"O?"

"Man a man i ti roi blast i ni – os ti moyn. Neuadd y dre. 7.30. Wela i di." Gafaelodd mewn bag molchi uffernol o hyll, ac i ffwrdd â fo at y cownter. Mi dalodd, mi gododd law arna i, ac mi ddiflannodd.

Nos Lun, ia? Es i adre ar fy mhen a chwarae'r sacs am awr gron. O ia, ges i fag molchi i Mam – ac un yn union yr un fath i Nain. Roedd Dad wedi mynd i'w nôl hi heddiw, a mae hi yma heno. Dwi licio hi, ond mae hi'n bendant yn dechra ffwndro. Mi fynnodd helpu Mam i neud panad ar ôl swper, ac mi gadwodd y tecell yn y rhewgell yn lle'r llefrith. Pa obaith sy 'na i mi efo *genes* fel'na?

25 Rhagfyr

Dolig diflas arall drosodd. Er, ges i bresanta reit neis: CDs Courtney Pine a Miles Davies, ffôn lôn newydd, crys rygbi Cymru, fideos The Simpsons, Billy Connolly ac Ali G – a llwyth o dronsia.

Yr un hen stwff oedd ar y bocs: blydi Mary Poppins, The Wizard of Oz a Zulu. Jest am bod 'na filoedd o bobol fel Dad sydd wrth ei fodd efo Zulu am ryw reswm sydd y tu hwnt i mi, ac sy'n gwbod pob gair o'r sgript tu chwith allan a wastad yn deud, bob blwyddyn: "Weli di'r Stanley

Baker 'na – Cymro ydi o, sti ... " Mi fysa bywyd gymaint haws tasa gynnon ni Sky fel pawb arall, ond mae Dad yn deud na fyddwn i'n canolbwyntio ar fy ngwaith ysgol wedyn. Hy! Mi fysa chydig o MTV neu Classic Rock yn y cefndir yn gwneud i mi ganolbwyntio gymaint gwell.

Dwi'm yn meddwl y bysa'n beth doeth i mi sôn wrth Dad na Mam mod i am drio ymuno efo band. Dwi'm yn meddwl y bydden nhw'n dallt, rhywsut, ac yn swnian eto mod i'n treulio gormod o amser yn gneud bob dim heblaw gwaith ysgol. Ond does 'na'm garantî ga i newis beth bynnag, nagoes?

Gawson ni ginio neis (fi bariodd y moron a'r sbrowts eto eleni, a throi'r grefi rhag iddo fo fynd yn lympia). Ond mi fynnodd Nain ein bod ni i gyd yn gwisgo'r hetiau dwl 'na sy'n dod efo cracyrs – a darllen y jôcs. (Mi ddyla rhywun wneud cracyrs Cymraeg efo jôcs Cymraeg ynddyn nhw. Os ydan ni i fod yn wlad ddwyieithog, mi ddylai cracyrs ddod o dan yr un drefn.) Ta waeth, roedd Nain wrth ei bodd efo hwn: "What do you call a fish with no eyes?" (Dad oedd yn darllen) Dim syniad gan neb wrth gwrs. "Fsh," medda Dad. Mi chwarddodd Nain nes roedd hi'n crio. Ond doedd Mam dal ddim yn dallt – nes i Dad ddangos y darn papur iddi. Ac roedd Nain yn meddwl bod hyn hyd yn oed yn fwy hilêrys. Ro'n i'n poeni ei bod hi am gael hartan ar un adeg. Ond mi ddoth at ei choed, ac wedyn mynnu ein bod ni'n chwarae efo'r teganau cracyrs pathetig 'na sy'n mynd yn fwy cheap ac yn fwy pathetig bob blwyddyn. Mwstásh plastig du ges i. Ond a deud y gwir, dwi'n dechra cael un go iawn. Wel, mae gen i ambell flewyn yna. Bym-fflyff ydi o yn y bôn, ond dwi wedi dechra siafio fo beth bynnag. Jest er mwyn esgus mod i'n ddyn go iawn, ac yn y gobaith y gwnaiff o galedu a throi'n fwy o stybl mwya dwi'n ei siafio fo. A dwi'n meddwl ei fod o'n dechra gweithio. Yes!! A deud y gwir, mi ddyla Nain ddechra siafio hefyd – mae ei blewiach hi dipyn mwy amlwg nag arna i. Dwi'm yn dallt hynna. Ydi merched yn creu mwy o testosterone fel maen nhw'n heneiddio ta be? Do'n i'm yn licio gofyn. Ond mae hi mor anodd cael sgwrs gall efo Nain (ar wahân i'r ffaith ei bod hi'n ffwndro) – mae fy llygaid i'n mynnu crwydro at ei gwefus ucha hi. Mae 'na flewyn du sydd lot hirach na'r gweddill a dwi jest â marw isio rhoi plwc iawn iddo fo. Ella ro i siswrn ynddo fo pan fydd hi'n cysgu un o'r dyddia 'ma.

O ia, jest iddi fynd yn ffrae dros y golchi llestri. Nain yn mynnu eu golchi efo llaw, a Mam yn trio esbonio bod gynnon ni beiriant golchi llestri – un uffernol o ddrud hefyd.

"Twt," meddai Nain, "hen lol. Yn yr amser mae'n gymryd i ti lenwi hwnna, mi fyddan ni wedi hen orffen yn y sinc 'ma. Tydi'r peirianna 'ma byth yn eu golchi nhw'n iawn beth bynnag – ac yn gneud ryw hen dwrw. Ty'd yn dy 'laen, fyddan ni'm chwinciad."

"Wel ... os dach chi'n mynnu," medda Mam yn y diwedd. "Sion! Ty'd i helpu efo sychu'r llestri 'ma!"

"Dim ffiars o beryg!" gwaeddodd Nain. "Gwaith dynas ydi hyn, siŵr dduw. Gad i'r hogyn ymlacio o flaen tân, lle mae dynion i fod. Ew, ti 'di mynd yn rêl hen slebog fach ddiog, yndo?"

Aeth Mam yn bananas. Ond Nain enillodd, a ges i lonydd. Ella nad ydi hi wedi ffwndro gymaint â hynny wedi'r cwbwl. Ma hi'n siarad lot o sens o hyd, tydi? A dwi'n casáu sychu llestri bron gymaint â dwi'n casáu gwagio'r bali peiriant 'na.

27 Rhagfyr

Fawr ddim i'w ddeud. Dwn i'm pam dwi'n trafferthu i sgwennu. Jest wedi bwyta fel mochyn, a dwi byth isio gweld bocs o siocled eto, heb sôn am gnau. Un cwmwl du: gan fod ddoe yn 'Boxing Day', mi benderfynodd Mam ei fod o'n ddiwrnod delfrydol i wagio bocsys – y rhai sy'n dal heb eu gwagio ers i ni symud yma. A be ffendiodd hi? Ia, y llun ohoni'n cael ei choroni yn Miss Prestatyn. Mae o'n ôl ar y silff ben tân, yn barod i godi cywilydd ar bawb ond Mam. Dwn i'm pam mae hi'n licio fo gymaint. Dim ond mynd yn depressed mae hi bob tro mae hi'n sbio arno fo … "Sbia del o'n i, a slim. 24 inch waist, cofia … (llwyth o ochneidio a mwydro bod ei gwallt gwyn hi'n mynd yn resistant i'r stwff mae'n ei roi ar ei phen i guddio'r gwyn) … Gwynfor? Ti'n meddwl mod i'n edrych yn hen?"

"Nagwyt siŵr, cariad, ti jest fel gwin da, yn gwella wrth fynd yn hŷn … "

Dyna mae o'n ddeud bob tro, heb hyd yn oed sbio arni. Jest â chodi cyfog ar rywun.

Mae'r clyweliadau ar gyfer Penbwl nos fory, felly dwi wedi bod yn ymarfer bob cyfle ga i. Dwi'n cyfeilio reit dda i'r rhan fwya o set Penbwl erbyn hyn. Ddim mod i'n meddwl fy hun, ond … wel, dwi'n gallu chwarae'r sacs 'ma. O ddifri rŵan. Roedd 'na gnoc ar fy nrws i tra o'n i ar ganol Johnny B Goode. Nain.

"Ddrwg gen i dy styrbio di, ngwas i," meddai, "ond …"

"O! Sori. Dwi'n gneud gormod o dwrw?" gofynnais yn syth.

"Nagwyt tad, ddim o gwbwl, jest isio gneud yn siŵr

mai chdi oedd wrthi ac nid record." Gwenodd arna i. Gwenais innau'n ôl. "Ew, ti'n dda sti," meddai hi wedyn.

"Diolch, Nain."

Wel, mae hi'n ddigon hawdd plesio dy nain am wn i. Gawn ni weld pa mor anodd fydd plesio Penbwl.

28 Rhagfyr

Wel ... mi fues i'n y clyweliadau heno, a rŵan dwi'n ôl. A dwi'n cael trafferth meddwl yn glir, heb sôn am sgwennu hwn yn gall. Pan gerddais i mewn i'r neuadd, y peth cynta darodd fi oedd pa mor dywyll oedd hi, a pha mor llachar oedd y golau ar y llwyfan. Roedd 'na foi bach Blwyddyn 9 ar y llwyfan yn chwarae gitâr yn ddigon sâl, ac yn amlwg yn cachu ei hun. Ac wedyn wnes i sylweddoli bod aelodau Penbwl – Teleri, Mosh, Jason a'r hogan dal – yn eistedd yn y gwyll mewn rhes yn wynebu'r llwyfan, fel rhywbeth allan o Pop Idol. Roedd 'na lot o ysgwyd pennau yn mynd ymlaen. Yma ac acw roedd 'na ddarpar aelodau yn ffidlan efo'u gwahanol offerynnau. Rhai ar eu pennau eu hunain, rhai efo'u mêts. Fawr neb yn gwrando ar y boi bach efo'r gitâr. Strymiodd hwnnw ei gord olaf o 'House of the Rising Sun'.

"Iawn, diolch yn fawr," meddai llais Jason, "don't call us, we'll call you ... !" a chwerthin. Doedd hynna ddim yn neis. Brysiodd y boi bach oddi ar y llwyfan. I grio bwcedi yn ôl ei olwg o, y creadur.

"Nesaf!" gwaeddodd Mosh. A dwi bron yn siŵr ei fod o wedi edrych yn gas ar Jason.

"Fi!" gwichiodd llais o'r chwith, ac yna rhedodd Lara Wilcox ymlaen efo ghettoblaster.

"Lara?" ebychodd Jason. "Beth yffach wyt ti'n neud 'ma?"

"Wy moyn bod yn Penbwl, y penbwl ... " gwenodd hithau.

"Beth?!" poerodd Jason, "ond so ti'n gallu ware dim byd!"

"Odw fi yn!" gwaeddodd hithau'n ôl, "a ta beth, ma'ch stage act chi'n boring. Ma ishe rhywun fel fi arnoch chi. Jest rho dair munud naw eiliad i mi ... " A dechreuodd Lara osod ei stondin: plwgio'r ghettoblaster i mewn, chwarae efo chydig o fotymau, fflwffio tipyn ar ei gwallt fel ei bod hi'n edrych yn fwy 'gwyllt', ac yna bloeddiodd nodau cyntaf 'Like a Virgin' dros y neuadd. Dechreuodd Lara ddawnsio, a chanu, ac ... o na, chwythu kazoo ... chymerodd hi ddim sylw o'r ffaith fod bron pawb yn piso chwerthin. Pawb ond Jason. Cyn i Lara gael cyfle i orffen y gytgan, roedd o wedi neidio ar y llwyfan, codi ei chwaer fach dros ei ysgwydd, a'i chario, yn sgrechian a chicio, allan o'r neuadd.

"Peidwch â meiddio gweud gair," chwyrnodd Jason pan ddaeth yn ôl.

Ceisiodd pawb gadw wyneb syth – a methu. Y ferch dal ffrwydrodd gynta.

"Chantelle!" gwaeddodd Jason, "wy bytu cael llond bola ohonot ti, iawn!"

Ond dal i chwerthin wnaeth Chantelle. Roedd ganddi chwerthiniad ffantastic. Un o'r rheina sy'n gyrglo rywsut, efo ambell rochiad mochyn, oedd yn gwneud i bawb chwerthin mwy jest wrth wrando arni. Rhyfedd ... a hitha'n edrych mor sych ar y llwyfan.

"O, lighten up, Jason," meddai Chantelle, pan lwyddodd hi i reoli rhywfaint arni ei hun, "ma 'da ti 'war cwbl unigryw."

"Diolch byth," ategodd Mosh, "fydde gas 'da fi feddwl bod mwy nag un Lara yn y byd 'ma."

"Ca' dy ben," gwgodd Jason. "Iawn, nesa!"

Roedd 'na dawelwch am chydig, felly mi wnes i afael yn fy sacs a dechrau codi, ond roedd 'na rywun ar ei draed o mlaen i.

"Fi," meddai llais cyfarwydd.

"Pwy yw 'fi'?" holodd Teleri'n garedig.

"Ashley Philpot."

Be? Pwy? Na! Erioed ... Ro'n i'n meddwl ei fod o'n grounded tan ddiwedd y flwyddyn. Ond fo oedd o, yn dringo ar y llwyfan efo rhywbeth mewn bag papur brown anferthol. Wedi cyrraedd, tynnodd gês anferthol allan o hwnnw.

"Be ti'n mynd i ware i ni 'te, Ashley?" gofynnodd Mosh yn ei lais bas, "pass the parcel?!" Roedd yn rhaid i mi wenu, er gwaetha fy hun. Gwenu wnaeth Ashley hefyd.

"Y corn Ffrengig," meddai hwnnw'n orchestol.

"Beth? French horn?!" ebychodd Jason.

"Ie, wy'n gwrthryfela yn erbyn y mainstream, mae angen i gerddoriaeth heddi fod yn fwy experimental ... arbrofol ... "

Aeth pawb yn fud. Llwyddodd Chantelle i fygu rhochiad mochyn arall. Ond roedd ysgwyddau Teleri'n ysgwyd braidd.

"A fi moyn dechrau gyda tamed bach o Beethoven," ychwanegodd Ashley gan osod ei hun ar y gadair ynghanol y llwyfan.

"Pwy?!" gofynnodd Jason, yn methu credu ei glustiau.

"Beethoven," meddai Ashley eto, gan bwysleisio pob sillaf.

"Sai ofan dim byd," meddai Mosh.

"Y?" edrychodd pawb yn hurt ar Mosh.

"Beethoven? Be – ti – ofan?" gwenodd hwnnw. Ochneidiodd pawb. Ar wahân i Chantelle.

"Sai'n deall," meddai hi.

"Sdim ots," meddai Mosh, "fire away, Ashley."

"Diolch," meddai Ashley, gan boeri chydig i mewn i'w gorn a chwarae efo'r falfiau. "Dyma i chi ... o na, nage Beethoven yw e, sori ... dyma Schubert's unfinished symphony ... "

"Ma hwn yn mynd i hala sbel ... " meddai Mosh yn dawel. Ffrwydrodd pawb eto. Ar wahân i Chantelle.

"Pam chi'n werthin? Sai'n deall ... " cwynodd yn ddryslyd.

Doedd Ashley druan ddim yn hapus. "Excuse me ... fi'n barod, odych chi?" meddai'n ffroenuchel.

"Www!" meddai pawb.

"Sori syr! Bant â ti 'te," meddai Teleri, gan sychu ei dagrau.

Dechreuodd Ashley chwarae. Roedd o'n dda. Yn dda iawn. Ond corn Ffrengig ydi corn Ffrengig. Ac Ashley ydi Ashley. Gorffennodd y darn, cododd ar ei draed a bowio'n ddwfn. Dechreuodd pawb glapio.

"O ie, fi'n ca'l e nawr!" gwichiodd Chantelle.

"Beth?" gofynnodd Teleri.

"Schubert's unfinished symphony ... mynd i hala sbel ... ody, os nad yw e wedi gorffen ei sgrifennu fe!"

Edrychodd pawb ar ei gilydd, yna ar Chantelle, ysgwyd eu pennau – a chwerthin. Yn y cyfamser, roedd Ashley'n dal ar y llwyfan, ac yn dechrau gwylltio.

"Pam chi'n werthin?" gofynnodd yn flin.

"Ddrwg iawn 'da ni, Ashley," eglurodd Teleri drwy ei dagrau, "o't ti'n dda iawn, ond Chantelle man hyn sy'n ... "

A dechreuodd pawb chwerthin eto, hyd yn oed Chantelle.

"Chi'n gwmws fel plant! Immature morons!" gwaeddodd Ashley. "Ac os nag ych chi'n gallu appreciato gwir dalent pan chi'n ei glywed e, sai moyn bod yn y band ta beth!" A martsiodd oddi ar y llwyfan. Yna martsiodd yn ôl gan ei fod o wedi anghofio ei gorn Ffrengig, a martsio allan eto, gan adael ôl malwen o'i boer ar ei ôl, gan fod hwnnw'n diferu allan o'r corn.

"O diar," meddai Chantelle. "So ni'n neud yn dda iawn, ŷn ni?"

"Nesaf!" bloeddiodd Mosh.

Mi ddoth 'na drwmpedwr reit dda o'r chweched ymlaen, merch ar y ffliwt, hogyn yn mwrdro ffidil, ac yna dwy ferch ofnadwy o smart efo bob i gitâr – a choesau hirion, brown dan sgertiau byrion lledr, a thopiau oedd yn gadael fawr ddim i'r dychymyg.

"Oooww!" chwyrnodd Jason dan ei wynt, "o, yeeesss ... fi'n lico rhain."

"So ti wedi clywed nhw'n ware 'to," brathodd Teleri'n ddiamynedd. Cenfigennus, mae'n amlwg. Be ar y ddaear oedd hi'n ei weld ynddo fo?

Roedd o'n glafoerio drwy berfformiad y ddwy, ac yn eu llygadu fel hen ddyn budur. Roedden nhw'n gallu chwarae, oedden, cadw mewn tiwn, a chanu'n o lew, ond dim byd arbennig. Ond roedd y ddwy yn rhythu i fyw llygaid Jason drwy'r cwbwl, ac yn rhoi ambell i symudiad pelfig i'w gyfeiriad o, am ryw reswm.

"Ffantastic," meddai Jason ar ddiwedd eu perfformiad. "Jyst be ni moyn i'r grŵp, tamed bach o dalent benywaidd ... "

"Hy!" cwynodd Teleri a Chantelle, a rhoi bob i benelin yn ei asennau. Gobeithio ei fod o'n brifo.

"Diolch yn fawr, ferched," meddai Mosh, "oes rhywun

arall ar ôl?"

Fi. Dechreuodd fy stumog gorddi. Ro'n i jest â byrstio isio mynd i'r lle chwech. Roedd fy mhen-gliniau i'n crynu. Mi benderfynais i esgus mai jest dod i wrando wnes i. Do'n i ddim isio chwarae o flaen rhain, ac yn sicr ddim isio gwneud ffŵl ohonaf fi'n hun o flaen Teleri. Syniad hurt oedd o o'r dechrau. Felly mi wnes i drio suddo i lawr yn fy sedd, rhag ofn iddyn nhw fy ngweld i. Ond roedd Mosh wedi troi rownd yn ei sedd.

"Hei – pishwr!" gwaeddodd, "dere! So ti'n swil, wyt ti?"

"O, bless," gwenodd Chantelle, "so ni'n mynd i dy fwyta di, ti'n gwbod."

"Y gog sy'n treial ware rygbi … " meddai Jason.

Trodd Teleri i weld ar bwy roedden nhw'n sbio, ac agor ei gwefusau (perffaith) mewn syndod.

"Sion?"

"Paid gweud wrtha i, gitâr arall," meddai Jason yn sych, yn amlwg wedi colli diddordeb yndda i'n syth. Y rhyw anghywir.

"Wel, naci, deud gwir," medda fi gan godi ar fy nhraed, "sacs."

Am ryw reswm, aethon nhw i gyd yn dawel.

"O," meddai Jason, ac edrych ar Teleri, oedd wedi cau ei gwefusau'n glep erbyn hyn.

"Dere mla'n 'te," meddai Mosh.

Felly mi gerddais at y llwyfan – oedd yn teimlo fel milltir – efo llygaid pawb wedi eu hoelio ar fy nghefn i. Tynnais fy sacs allan o'r cês, gosod y gwddw yn ei le, yna gofalu fod y 'reed' yn ddigon tyn. Rhoddais y strap am fy ngwddw, a chwarae scale bach cyflym. Ro'n i'n crynu. Ac roedd fy mysedd i'n chwysu gymaint, roedden nhw'n llithro oddi ar y banana keys. Ro'n i'n gallu gweld Jason yn ysgwyd ei ben, eisoes wedi penderfynu ei bod hi'n wastraff amser gwrando arna i.

"Be ti'n mynd i ware, gog?" gofynnodd, " 'I'm a little teapot'?" Roedd o (a'r ddwy gitaryddes smart) yn meddwl bod hynna'n hynod o ddigri. Do'n i ddim. Ddangosa i be dwi'n gallu chwarae i ti, mêt, meddyliais. Ro'n i wedi gwylltio, a mysedd i jest â gwasgu'r allweddau'n yfflon.

"'Summertime'," meddwn, a thynnu fy anadl. Ac i ffwrdd â fi. Mae 'na rywbeth am y gân yna ... rhywbeth cynnes, corfforol, hamddenol, hirfelyn tesog, tôst poeth a thriog o rywiol, ac mi wnes i roi bob dim oedd gen i i mewn iddi. Boed yn lais bas neu sacs tenor, mae'r gân yna'n hudol. Roedd fy llygaid ar gau, ro'n i'n gallu anghofio bob dim am y neuadd, Penbwl, Jason, ysgol, bywyd yn gyffredinol, a jest mwynhau'r miwsig. Ond ar yr un pryd, ro'n i'n gallu deud fod fy nghynulleidfa fechan i wedi eu hudo hefyd. Pan ddois i i ben, ac agor fy llygaid, roedd y lle'n hollol, gwbl, dawel. Ro'n i'n gallu gweld wynebau Penbwl yn y cysgodion, ac roedd eu cegau nhw fel rhes o ogofâu. Yn enwedig un Jason. Roedd hwnnw fel yr Eurotunnel. Roedd 'na hanner gwên fach od ar wyneb Mosh, roedd Chantelle yn edrych fel tase hi newydd roi ei bys mewn socet drydan, ac roedd Teleri ... yn crio. Nid beichio crio, ond roedd 'na ddagrau bach yn diferu i lawr ei bochau hi. Mi wnes i godi f'ysgwyddau, yn disgwyl i rywun ddweud rhywbeth. Ond ddywedodd neb yr un gair. Roedden nhw i gyd jest yn dal i eistedd yna, yn syllu arna i, yn fud. Yna dechreuodd Mosh glapio. Wedyn dyma Chantelle yn ymuno efo fo, wedyn pawb arall oedd yn dal yn y neuadd. Mi fuon nhw'n clapio am hir, chwarae teg; mi nath hyd yn oed Jason daro blaen ei fysedd yn ei gilydd unwaith neu ddwy. Yn y bôn, roedd pawb ond Teleri yn clapio. Yr un person yn y byd ro'n i isio ei phlesio, a doedd hi ddim yn clapio – dim ond crio. Rhois y sacs yn ôl yn ei gês, a dringo oddi ar y llwyfan. Cododd Mosh ar ei draed ac ysgwyd fy llaw.

"Gog – ti'n gallu ware."

"Diolch."

"A sdim dowt 'da fi taw ... "

Ond neidiodd Jason ymlaen a thorri ar ei draws:

"Ie. O't ti'n dda iawn. Ond so ni'n gallu dewis neb yn derfynol hyd nes bo ni wedi trafod y peth yn iawn ... ŷn ni, Mosh?"

Nodiodd hwnnw ei ben, yna taro fy ysgwydd efo cledr ei law, nes ro'n i jest â disgyn ar fy hyd.

"Iawn," gwaeddodd Chantelle, "diolch i bawb am ddod heno, iawn? Ni'n mynd i drafod mas y bac nawr, a ni'n gobeitho y byddwn ni wedi penderfynu erbyn deg, iawn? Iawn, felly ma croeso i chi aros man hyn os chi moyn. Neu allwch chi adael eich manylion ac allwn ni ffono chi nes mla'n. Iawn? Iawn. Cheerio am nawr 'te."

(Sgwn i be fysa hi'n wneud tasan nhw'n gwahardd y gair "iawn" ryw dro?)

Cododd Penbwl, a diflannu drwy'r drws wrth ochr y llwyfan. Mae'n rhaid bod un ohonyn nhw wedi taro swits golau y neuadd. Roedd 'na oleuni ar bethau o'r diwedd. Edrychais o nghwmpas. Roedd y rhan fwya o'r criw oedd wedi ceisio am le yn y band yn dal yno – ar wahân i Ashley a Lara wrth gwrs. A ryw hen foi efo mop o wallt gwyn yn eistedd reit yn y cefn, yn trio cuddio'r ffaith fod ganddo fo ffag yn ei law. Roedd o'n edrych yn gyfarwydd. Ond eto, doedd o ddim chwaith.

Doedd gen i fawr o awydd cicio fy sodlau yn y neuadd

wrth ddisgwyl am y dyfarniad. Do'n i ddim yn siŵr pa un oedd waetha chwaith – cael y job a gorfod wynebu pawb oedd heb ei chael hi, neu beidio'i chael hi a gorfod gwenu'n ddel a llongyfarch y boi llwyddiannus. Neu ddwy ferch (smart efo coesau hirion) llwyddiannus yn yr achos yma. Ro'n i'n gwbod yn iawn mai fi oedd y cerddor gorau, ond tydi hynny ddim wastad yn ddigon, nacdi? Yn enwedig efo bands y dyddia yma. Mae'r ddelwedd bron mor bwysig â'r miwsig – yn bwysicach yn anffodus o amal. A debyg bod y ddwy hogan 'na'n fwy rhywiol na fi, wel, mewn sgertiau byrion lledr beth bynnag. (A dwi ddim am drio gwisgo un chwaith, diolch yn fawr.)

Felly mi wnes i adael fy rhif ffôn ac mi ddois i adra. Ges i nòd gan yr hen foi gwallt gwyn wrth i mi fynd. Roedd o'n gwisgo jîns a siaced denim. Mae hynna'n ticlo rhai pobol sydd yr un oed â fi – fod hen bobol yn gwisgo denims. Ond dwi'm yn gweld be sy o'i le efo hynny, fy hun. Nhw ddechreuodd wisgo'r stwff, ynde? Ac os ydi o'n eu siwtio nhw, pam lai? Iawn, mi fysa Dad (Mr jympars Pringle) yn edrych yn hurt mewn 501s, ond roedd y boi gwallt gwyn 'ma'n edrych reit cŵl. Ac roedd ei wallt o mewn pony tail hir. Arfer bod yn hipi, debyg.

Ta waeth, mae hi bron yn un ar ddeg rŵan, a does 'na neb wedi ffonio, felly y genod heglog gafodd hi, mae'n rhaid. Fy wyneb i ddim yn ffitio, nagoedd? Ac mi wnes i lwyddo i ypsetio Teleri rywsut. Ella bod 'Summertime' yn dod ag atgofion anffodus iddi. Meibion Glyndŵr wedi llosgi bwthyn ei nain mewn camgymeriad neu rwbath. Dwi'n mwydro rŵan, tydw?

11.30 yh, 28 Rhagfyr

Mi ganodd y ffôn jest fel ro'n i'n sgwennu hynna. Mam atebodd – yn ei llais posh, uffernol o embarasing fel arfer.

"Helew? ... Ydi, mae Sion yn byw yma ... pwy ydach chi? ... Pardon? ... Teleri pwy? ... Ydi hi ddim braidd yn hwyr i chi ffonio fel hyn, dwch? ... Pa mor bwysig? ... Ylwch, fi ydi'i fam o a dwi'n meddwl bod gen i hawl i — "

"Mam!" Ro'n i wedi neidio lawr y grisia – y cwbwl ohonyn nhw – mewn un naid. Mi fydda Superman wedi bod yn falch ohona i. A dwi'n meddwl mai'r adrenalin nadodd i mi frifo. Roedd Mam wedi dychryn gymaint, mi roth y ffôn yn syth i mi, heb brotestio dim.

"Helô? Teleri?" medda fi.

"Ie. Helô, Sion. Mae 'da ti fam really weird."

"Oes, sori." Roedd Mam bellach wedi dod ati'i hun wedi ngweld i'n gneud fy kamikaze stunt o'r landing ucha, ac wedi mynd yn freuddwydiol am y parlwr i chwilio am Dad.

"Sori bo ni mor hir yn dod 'nôl atot ti."

"Iawn siŵr."

"Gwynfor?!!! Mae Sion newydd neidio lawr y grisia! Reit o dop y landing, Gwynfor!!"

"Dy fam di yw honna?"

"Sori, ym ... Dad sydd chydig bach yn drwm ei glyw, sti."

"O."

"Gwynfor!! Dwed wrtho fo!"

"Wel, o'n i jyst moyn gweud – llongyfarchiade —"

"Gwynfor!!!!"

"– ti'n y band."

"Dwi ddim?!"

"Wyt. Do'dd dim cystadleuaeth really."

"Mae'r ornaments yn dal i ysgwyd, Gwynfor!"

"Dwi'm yn gwbod be i ddeud."

"Na fi. O'n i moyn ca'l gair 'da ti, 'na pam gynigies i dy ffono di, ond 'na fe, all e aros tan y bore."

"Na, mae'n iawn sti, mi fedran ni — "

"Be ti'n feddwl, 'y mab i ydi o?!"

"Mae'n swno fel rhyfel cartref, Sion. Wela i di fory – Caffi Mega-Beit, tua un ar ddeg?"

"Ia, iawn."

"A llongyfarchiade 'to."

"Diolch."

Wedyn mi ddoth Mam o rywle a rhoi uffar o lond pen i mi nes ro'n i'n ysgwyd bron cymaint â'r ornaments. A holi pwy oedd ar y ffôn:

" ... Oedd hi'n swnio'n rêl madam i mi."

"Mae hi'n yr ysgol efo fi, Mam."

"Hogan ysgol? Dyla bod hi'n ei gwely ers meitin felly. Be oedd hi isio?"

Mi allwn i fod wedi sôn am y band, ond roedd 'na rywbeth yn deud wrtha i na fyddai hynny'n beth doeth iawn i'w neud ar y pryd, os o gwbwl.

"Oedd hi jest isio deud wrtha i bod ymarfer band chwyth nos fory wedi'i ganslo."

"O. Be? Oedd gynnoch chi ymarfer a hitha'n wyliau ysgol?"

"Yn hollol, dyna pam gafodd o 'i ganslo."

"O."

A diolch byth, tra oedd hi'n ceisio gweithio honna allan, mi anghofiodd hi bob dim am ferch yn fy ffonio yn hwyr y nos, a mod i wedi rhoi ffit iddi hi a'i hornaments. Felly mi ddiflannais i'n ôl fyny grisia reit handi.

A dyna fo – dwi'n y band. Dwi'n aelod o Penbwl. A fory, mae gen i ddêt efo Teleri. YEEEEEESSSS!!

29 Rhagfyr

Fethes i fwyta mrecwast bore 'ma. Ro'n i jest ar bigau drain, yn gwylio bysedd y cloc, oedd yn symud yn afresymol o araf. Ro'n i hefyd yn trio osgoi Mam, achos roedd hi'n dal yn flin efo fi.

"Mae'n hen bryd i chdi dyfu fyny. Dechra ama be dwi wedi'i fagu, wir. Neidio o gwmpas y lle fel ryw hen fwnci. Faint ydi dy oed di, dwa? A faint o weithia sydd raid i mi ddeud? Paid â gwasgu dy blorod fel'na! Tasat ti'n molchi'n iawn, fyddan nhw'm yn codi'n y lle cynta!" Bla bla bla fel tiwn gron. Mae gan Dad ffasiwn fynadd efo hi pan mae hi'n tantro fel AK47, ond dyna fo, mae o dros ei ben a'i glustia mewn cariad efo hi ac yn maddau bob dim iddi o hyd, yn ei chofleidio hi a'i llyfu hi dragwyddol. Dyn yn ei oed a'i amsar. Mae'r peth reit sick os ti'n gofyn i mi. Fydda i ddim fel'na pan fydda i'n byw efo Teleri. Dim ffiars o beryg. Ddim o flaen y plant beth bynnag.

Do'n i'm isio bod yn Caffi Mega-Beit yn rhy gynnar, ond rhywsut, ro'n i yno yn sipian coke am 10.30. Roedd 'na ferch welw tu ôl y cownter yn darllen *Hello!* Wel, nid yn ei ddarllen o, jest sbio ar y lluniau.

Am 10.55, mi ddoth Chantelle i mewn.

"Helô, Sion!" meddai gan estyn ei llaw. "Croeso i'r band. O't ti'n ameising neithiwr."

"Diolch." Damia. Roedd hi'n amlwg mod i'n mynd i

gyfarfod y band i gyd – nid dim ond Teleri wedi'r cwbwl.

"O'dd pawb yn cytuno taw ti oedd y gorau ... o bell ffordd."

"Pawb?"

Gwenodd, ac edrych arna i trwy gil ei llygad.

"Wel. Falle bod pawb yn cytuno taw ti o'dd y gorau, ond falle ddim yn cytuno pwy fydde ore i'r band ... "

"Ac mae gen i syniad go lew pwy oedd hwnnw. Rwbath i neud efo genod mewn sgertiau byrion?"

"Y?" Roedd hi'n sbio arna i'n ddryslyd rŵan.

"Jason?" medda fi gan wenu.

"Na, o'dd e moyn ti mewn o'r dachre."

"Jason?"

"Ie. O'dd. Na ... Teleri o'dd ddim yn siŵr." Ro'n i'n fud. Teleri? "So ti'n gwbod, wyt ti?" gofynnodd Chantelle yn ofalus.

"Gwbod be?"

"O'dd 'da Teleri gariad – Nick. O'dd e'n gorjys, ac o'dd Teleri mewn cariad gyda fe – dros ei phen a'i chlustie. Fe ddechreuodd y band. A'r sacsoffon o'dd ei offeryn e 'fyd."

"O. Dwi'n gweld. A dwi'n ei hatgoffa hi ohono fo, yndw?"

"Wyt. 'Na pam o'dd hi'n llefen." Roedd popeth yn gwneud synnwyr rŵan. Roedd y Nick 'ma wedi dympio Teleri, a rŵan mae ganddi rwbath yn erbyn pawb sy'n chwarae sacs. Stori mywyd i. Agorodd drws y caffi eto, a daeth Mosh i mewn.

"Shwmai," meddai, ac estyn ei law i mi. "Llongyfarchiade ... pishwr." Yna trodd at Chantelle. "Ti wedi gweud wrtho fe?"

"Do."

"Felly," meddai Mosh wrtha i, "ti'n deall pa mor sensitif yw'r sefyllfa? Ni'n treial osgoi dweud ei enw fe, rhag ofan."

"Ia, iawn." Mae'n rhaid ei fod o wedi torri ei chalon hi go iawn. "Pryd ddigwyddodd hyn ta?"

"Bron i flwyddyn yn ôl," atebodd Chantelle. "O'dd e'n ofnadw."

"Do'dd Teleri ddim moyn cario mlaen 'da'r band," meddai Mosh, "ond lwyddon ni i'w pherswadio hi i ddod 'nôl wech mish yn ôl."

"A ma hi'n llefen bob tro ma hi'n clywed rhywun yn ware sacs."

"Hogan deimladwy iawn mae'n rhaid," medda fi. Ro'n i'n dechra teimlo fod Teleri'n mynd fymryn dros ben llestri am y peth. Wedi'r cwbwl, mae pawb wedi cael ei ddympio gan gariad ryw dro. Dwi'm yn crio bob tro dwi'n cael f'atgoffa o Ceri Hughes nacdw? Edrychodd Mosh a Chantelle yn od arna i am eiliad.

"Wel, ydi," cytunodd Mosh, "ond fydden ni gyd 'run peth dan yr amgylchiade."

"Mm," medda fi, methu gweld Mosh yn beichio crio ar ôl cael ei siomi gan ferch, rywsut. "Ond mae hi'n hapus i nghael i'n y band er gwaetha hyn i gyd?"

"Odi, nawr," meddai Chantelle, "o'dd raid iddi gytuno dy fod ti'n yffach o sacsoffonydd, a bod raid symud mla'n."

"Ond cofia," meddai Mosh, "so ni byth yn gweud ei enw fe, iawn?"

"Iawn," medda fi. A dyna pryd agorodd y drws eto, a daeth Jason a Teleri i mewn. Roedd braich Jason am ei hysgwydd hi. Felly mae'n amlwg nad ydi'r busnes Nick 'ma'n ei phoeni hi gymaint â hynny wedi'r cwbwl, os ydi hi wedi dechrau mynd efo Jason. A finna'n meddwl bod gen i ddêt efo hi. Prat. Doedd hi'm hyd yn oed isio fi yn y band.

Ond roedd y lleill yn llawn bywyd. Maen nhw'n griw

da. Gawson ni sgwrs ddifyr, fywiog am bron i ddwyawr. Ac er fod Jason yn ben bach sy'n meddwl ei hun, mae o'n cymryd y band o ddifri. Mi fuon ni'n trafod delwedd y band, y camau nesa, ymarferion, y gigs nesa ac ati. Ond dim ond un gig sydd wedi'i drefnu hyd yma. Un 'mhen pythefnos mewn tafarn yn Aberystwyth. A maen nhw isio ymarfer bob nos Lun a nos Fercher tan hynny, er mwyn i mi gael dysgu bob dim a dod i arfer.

Mae hyn yn mynd i fod yn broblem i mi, ond wnes i'm deud hynny. Dwi'n chwarae efo'r band chwyth bob dydd Mercher tan 6.30 fel mae hi, a dwi isio ennill lle yn y tîm rygbi sy'n ymarfer ar ôl ysgol bob dydd Llun a nos Iau (er, mi fydd Mosh a Jason yn fan'no hefyd) a mae Dad yn swnian yn barod mod i'm yn rhoi digon o sylw i ngwaith ysgol. Dwi'm yn mynd i ddeud wrtho fo na Mam am Penbwl. Fyddan nhw'm yn rhy hapus mod i'n "gwastraffu amser" yn chwarae efo band, heb sôn am feddwl amdana i'n chwarae mewn tafarnau. Mae Mosh a Teleri yn yr un dosbarth â fi, ond tydyn nhw ddim fel tasan nhw'n poeni am eu gwaith ysgol. Rhieni llai ffyslyd na fy rhai i, mae'n rhaid. Mae Jason yn y chweched, ond dim ond cerddoriaeth a chwaraeon mae o'n neud. Dwi'm yn siŵr be mae Chantelle yn neud. Dwi'm yn siŵr ydi hi'n gwbod ei hun. Argol, mae hi'n hogan vague. Mi driodd hi ddeud jôc heddiw:

"Pam gwympodd y dyn mas o'r goeden?" gofynnodd hi, wedi dechrau giglo o'r munud agorodd hi ei cheg.

"Sai mo," meddai'r lleill.

"Achos saethes i fe!" chwarddodd Chantelle, a thagu ar ei chappuccino, roedd hi'n chwerthin gymaint. Jest gwenu wnaethon ni. Mae'n rhyfedd: pan mae hi ar y llwyfan, does 'na ddim golwg o wên ar ei hwyneb hi, mae hi'n hollol, gwbwl siriys, fel rhyw brifathrawes flin yn ein canol ni. Ond weddill yr amser, mae hi'n gwenu a giglan bron yn ddi-stop.

Mae gan Jason ego fel yr Wyddfa. Pan ofynnodd Chantelle oedd o'n nabod rhywun – rhyw Andrea rhywun neu'i gilydd – mi ysgydwodd ei ben.

"Andrea? Na, pam? Ffansïo fi, ody hi?" Ac roedd ei fraich o am ysgwydd Teleri ar y pryd – ac roedd hi'n gwenu! Dwi jest ddim yn dallt genod weithia.

Aethon ni i'r neuadd am gwpwl o oriau wedyn, i ddechra mynd dros y set. Roeddan ni'n gweithio'n dda efo'n gilydd, rhaid i mi ddeud. Mae Jason yn meddwl mai fo ydi'r bòs, ond Mosh ydi'r bòs go iawn. Mae Teleri'n reit benderfynol am bethau, yn enwedig ein delwedd ni, ond dydi Chantelle yn poeni dim am ddim. Mae hi jest yn tynnu ar dannau ei gitâr fas, ac yn hapus braf, hyd yn oed os ydi hi'n edrych fel tase poenau'r byd ar ei sgwyddau tra mae hi'n chwarae. Mae'r hogan ar blaned arall, ond dydi hi byth yn colli bît na nodyn. Roedden nhw reit hapus efo fi. Hyd yn oed os oedd Jason yn cwyno mod i'n tynnu oddi ar ei unawdau o.

"So ti'n gallu canu hefyd wyt ti?" gofynnodd Mosh wedi i ni orffen ein fersiwn ni o 'International Velvet'.

"Wel, mi fedra i ganu grwndi'n y cefndir mae'n siŵr," medda fi. Do'n i'm isio deud mod i'n meddwl mod i'n swnio'n ffantastic yn y bàth – na mod i wedi ennill yn Steddfod Sir ar yr unawd dan 12 un flwyddyn (ches i'm llwyfan yn y Genedlaethol). Felly mi fues i'n canu chydig wedyn, yn uffernol o dawel i ddechra.

"Ti'n swno fel cath, achan," gwaeddodd Jason.

Ond fel ro'n i'n dod i arfer, ro'n i'n mynd yn fwy hyderus. A ges i wên fawr gan Teleri ar ddiwedd fersiwn hollol briliant o 'Tryweryn', Meic Stevens. Roedd ein lleisia ni wedi asio'n berffaith. Bechod mai dim ond ein lleisia ni oedd yn asio'n berffaith, ond os ydi'n well ganddi gwmni posar fel Jason, wel dyna fo, rhyngddi hi a'i photes.

Cenfigennus? Fi?

Yndw. Mwya'n y byd dwi'n ei gweld hi, mwya'n y byd dwi licio hi. A phan mae hi'n gwenu arna i, dwi'n troi'n jeli.

Dwi wedi cael gwahoddiad i barti Calan yn nhŷ Jason. A dwi am fynd – unrhyw esgus i weld Teleri eto. A dwi fod i fynd â fy sacs efo fi. Dim problem.

Mam yn deud bod Ashley wedi galw tra o'n i allan. Ro'n i wedi anghofio bob dim amdano fo. Sgwn i ydi o wedi clywed mod i yn Penbwl rŵan? Ffonia i o ryw ben.

1 Ionawr

Mae hi'n chwech o'r gloch nos a dwi'n dal i deimlo'n sâl. 'Swn i licio gallu rhwbio neithiwr allan o mywyd i, ei grafu allan o'r calendr am byth. Dwi'n gwbod bod 'na filiynau ar filiynau o bobol yn teimlo'n sâl ar Ionawr 1af bob blwyddyn, felly pam ddylwn i fod yn wahanol? Ond pennau mawr ar ôl gormod o gwrw sydd ganddyn nhw. Pen bach sydd ddim yn gwrando ar neb ydw i.

Mi ddechreuodd petha'n iawn. Ges i dacsi i'r parti efo Mosh a Chantelle. A dyna pryd ddalltes i mai fi ydi'r unig un sy'n galw Chantelle yn Chantelle. Sian Tal maen nhw'n ei galw hi ers blynyddoedd. Wel, ers iddi basio 5' 9". Ac mae hi'n 5' 11" rŵan. Sian Tal mae hi'n ei galw'i hun, hyd yn oed.

"Chantelle yn enw mor ponsi on'dyw e?" eglurodd

wrtha i, wrth dynnu fflyff neu rywbeth oddi ar ysgwydd fy siaced i. "Mam aeth drwy ryw phase rhyfedd ar ôl gwyliau yn St Tropez. Ond wy'n well off na mrawd," meddai. "Dyfala beth yw ei enw e."

"Crêpe?" medda fi.

"Cynnig da," meddai Mosh, "ond na."

"Framboise," meddai Sian Tal.

"Mafon coch?!" medda fi.

"Os taw 'na beth yw raspberry," meddai hi. "Wy'n meddwl ei bod hi wedi meddwl ei alw fe'n Francois, ond aeth rhywbeth o'i le."

Pan gyrhaeddon ni'r tŷ, ro'n i'n dal i chwerthin.

Mae o'n glamp o dŷ. Dydi'r Wilcoxiaid yn amlwg ddim yn brin o geiniog neu ddwy. Roedd Mr a Mrs Wilcox wedi mynd i sgio i'r Eidal dros y Flwyddyn Newydd, ac roedd Jason a Lara wedi addo, cris croes tân poeth, peidio cael parti. Dyna be dach chi'n gael am fynd i sgio heb eich plant.

Roedd y lle'n llawn o griw ysgol o Blwyddyn 10 i fyny, ac ambell berson arall cwbl ddiarth i mi. Doedd 'na ddim bwyd, ar wahân i ambell soser o gnau mwnci, ond roedd 'na boteli a chaniau ymhobman, a miwsig yn chwarae mor uchel, roedd y poteli'n dawnsio. Doedd 'na ddim golwg o Jason pan gyrhaeddon ni, ond roedd Lara'n chwarae mine hostess wrth y drws.

"Haia, Sion!" gwichiodd, "sori bo fi heb glywed ti pwy nosweth, ond glywes i bo ti'n bril!"

"Diolch."

"Wy moyn dysgu ware sacs hefyd," meddai. "Ga i go ar un ti nes mlaen?"

"Y ... na." Ti jest ddim yn rhannu offerynnau chwyth. Ddim os oes gen ti unrhyw fath o barch at dy offeryn, maen nhw'n betha drud wedi'r cwbwl – mi gostiodd hwn £900 ddwy flynedd yn ôl. A do'n i ddim isio poer Lara Wilcox yng ngwddw fy sacs i – nag unrhyw le arall chwaith.

Chwarae bod yn DJ oedd Jason, yn micsio reit dda, chwarae teg, a Teleri, wrth gwrs, wrth ei ochor.

"Canlyn yn selog tydyn?" medda fi wrth Sian Tal.

"Y? Beth ma 'na'n feddwl?" gofynnodd.

"Maen nhw'n mynd 'mas' efo'i gilydd yn ... yn ... " Doedd gen i ddim syniad be oedd selog mewn iaith hwntw.

"Mas 'da'i gilydd? Teleri a Jason?!" chwarddodd. "Nagyn! Ond ma fe moyn." Oedodd am chydig, ac ychwanegu "Ma pawb moyn mynd mas 'da Teleri."

"Wel, fedri di'm gweld bai arnyn nhw," medda fi, wedi cynhyrfu braidd o glywed mod i wedi camddallt y sefyllfa'n llwyr, "mae hi'n stoncar. Does 'na neb arall yn y lle 'ma yn yr un cae â hi. Wyt ti'n siŵr nad ydyn nhw'n canlyn?"

"Perffaith siŵr," atebodd. "Esgusoda fi. Wy jest moyn mynd i'r tŷ bach." Ac i ffwrdd â hi. Nes i prin sylwi ei bod hi wedi mynd a deud y gwir. Roedd fy llygaid i wedi eu hoelio ar Teleri. Roedd hi'n micsio rŵan, yn dal y cans wrth ei chlustiau, ac yn chwerthin yn braf. Argol, mae hi'n ddel pan mae hi'n chwerthin. Mae hi'n ddel pan mae hi'n gwgu hefyd o ran hynny.

Wedyn ges i fy llusgo i ddawnsio gan Lara. Dwi'm yn meddwl ei bod hi'n dallt y gair "Na". A gas gen i ddawnsio p'un bynnag. Taswn i'n gallu, mi fyswn i'n dawnsio drwy'r nos, ond dwi jest ddim yn gwbod be i neud efo mreichia. Na nghoesa. Fyswn i byth yn cyfadde hyn wrth neb, ond dwi wedi bod yn trio copïo pobol fel Westlife ar y teledu, pan dwi reit saff bod neb yno i ngweld i. A dwi'n anobeithiol. Dwi'm yn dallt – mae gen i rythm, neu fyswn i'm yn gallu chwarae sacs. Ond mae'n mynd drwy'r ffenest pan dwi'n trio dawnsio. Ac mae nghorff i'n bihafio reit dda ar gae rygbi neu bêl-droed: mae nhraed a mreichia i'n dallt be mae mrêns i isio iddyn nhw neud yr adeg hynny. Ond tynna'r bêl oddi arna i, dyro fiwsig ymlaen, ac mae fy sgidia i'n llenwi efo concrit. Felly pan ges i fy llusgo gan Lara i ganol yr holl bobol oedd i gyd yn gallu dawnsio, mi wnes i jest sefyll yna, gan roi hop bob hyn a hyn, yn gobeithio fod Teleri ddim yn gallu ngweld i. Ond roedd hi wedi ngweld i. Mae'n rhaid ei bod hi wedi rhoi'r cans yn ôl i Jason, achos o fewn dim, dyna lle roedd hi, yn dawnsio efo Lara a fi. Do'n i ddim yn siŵr iawn sut ro'n i'n teimlo. Ar un llaw, ro'n i'n falch ei bod hi isio bod mor agos ata i; ar y llaw arall, ro'n i isio marw oherwydd bod fy ambell hop bathetig yn siŵr o wneud iddi feddwl mod i rêl rhech.

Mi wnes i drio gwenu arni, a diolch byth, mi wenodd yn ôl. Mi driodd hi ddweud rwbath wrtha i, ond roedd y miwsig mor uchel, allwn i ddim dallt gair. Aeth hyn ymlaen am ryw bum munud dwi'n siŵr, Teleri'n dawnsio'n hapus, Lara'n dawnsio'n flin, a finna'n hopian o un goes i'r llall fel ryw grëyr glas ar wely hoelion. Yn y diwedd, mi benderfynais i ddianc. Mi wnes i drio dangos mod i'n mynd am y tŷ bach, ac i ffwrdd â fi.

Ond roedd 'na rywun yno o mlaen i. Mi agorodd y drws yn y diwedd, a Sian Tal ddoth allan. Roedd 'na olwg wedi blino neu rwbath arni, a doedd hi'n amlwg ddim wedi disgwyl fy ngweld i yn fan'no, yn ôl y ffordd neidiodd hi.

"Ti'n iawn?" gofynnais.

"Wrth gwrs 'ny," atebodd reit siarp, "pam fydden i ddim?"

Do'n i ddim yn siŵr be i'w ddeud wedyn, a ph'un bynnag, roedd hi wedi mynd cyn i mi allu agor fy ngheg. Merched ...

Nes ymlaen, mi fuodd Penbwl yn chwarae yn y lolfa. Roedden ni'n grêt. Jest bod Jason yn ei gor-wneud hi ar yr unawdau gitâr. Roedden nhw'n mynd mlaen a mlaen ganddo fo. Jest trio dangos ei hun. Ond roedd o'n amlwg yn gweithio – roedd 'na ferched drosto fo ymhobman ar y diwedd, ac un hogan walltgoch yn cael mwy o sylw na neb. A deud y gwir, roedd o'n rhoi chec-yp reit drylwyr i'w thonsils hi. A doedd 'na'm golwg genfigennus ar Teleri, felly roedd hi'n amlwg bod Sian Tal yn iawn. Efallai fod ganddi gariad yn rhywle, ond nid Jason oedd o.

Ddaeth 'na 'run haid o ferched ata i, dim ond Ashley. Ges i dipyn o fraw; do'n i ddim wedi sylwi ei fod o yn y parti tan hynny.

"O'n i'n meddwl dy fod ti'n grounded?" medda fi.

"Ma nhw wedi mynd mas i barti'r British Legion," atebodd. Yna daliodd ei law allan, "Congratulations. Pryd o't ti'n meddwl gwoud wrtho i 'ten?"

"Ym ... wel, ma bob dim wedi digwydd mor sydyn –"

"Yeah, whatever," meddai, "ond ti'n blydi gwd player, fair play. So fe'n really obvious yn y band chwyth."

"Diolch."

"Sai'n mynd i weld llawer ohonot ti nawr odw i?"

"Y?"

"Ffrindie newydd, trendi 'da ti nawr on'd oes e?"

"Ashley, be ti'n — "

"Na, ti'n un o'r 'A-crowd' nawr. A bydde hongian ambytu 'da fi ddim yn beth cool i'w wneud." Estynnodd ei law allan. "Sdim ots, best of British and all that." Ysgydwodd fy llaw, ac i ffwrdd â fo. Ro'n i'n fud. Ro'n i'n teimlo fel lwmp o faw. Baw ci. Roedd bob gair ddywedodd o yn hollol gywir. Do'n i ddim isio cael fy ngweld efo fo. A rŵan mod i'n un o griw Penbwl, doedd dim angen i mi ei ffonio fo i gadw cwmni i mi yn unrhyw le. Ro'n i wedi 'i ddefnyddio fo nes ro'n i'n gallu gwneud hebddo fo, ac ers hynny, do'n i prin wedi meddwl amdano fo. Mi wnes i feddwl brysio ar ei ôl o i ymddiheuro, ond wedi ailfeddwl, mi arhosais i lle ro'n i, a chadw fy sacs yn ôl yn ei gês yn ofalus.

"Ti moyn rhywbeth i yfed?" gofynnodd Mosh. Nodiais, a phasiodd gan i mi. Eisteddodd y ddau ohonan ni yn fud am sbel, yn sbio ar bawb yn dawnsio, fflyrtio a mwydro ei gilydd o'n blaenau ni. Daeth Jason aton ni, a'i fraich rownd hogan gwallt byr, brown.

"Be ddigwyddodd i'r gochan?" gofynnais.

"Fe ddaw ei thro hi eto," meddai'n slic, "mae'n talu neud iddyn nhw sefyll eu tro, t'wel." A chyda winc, aeth allan eto, a'r hogan yn giglan ar ei ôl o.

"Dwi'm yn coelio hynna," medda fi wrth Mosh.

"Ie, wel ... Jason yw Jason," meddai hwnnw'n ddi-hid. "Ma fe'n credu taw fe yw anrheg Duw i bob merch, felly ma' nhw'n credu 'ny 'fyd. Wel, rhai ohonyn nhw."

"Hyder ydi o i gyd, felly?"

"Pishwr bach," gwenodd Mosh. "Ma hyder wedi gwneud twpsod rhonc yn arweinwyr gwlad cyn heddi."

Mi fu'r ddau ohonon ni'n dawel am chydig wedyn, yn pendroni dros hynna.

"Mae Teleri reit hyderus, tydi?" medda fi toc.

"Wel ... ydi," cytunodd Mosh, "mae'n haws bod fel 'na pan ti'n bert."

"A mae hi, tydi?"

"Ydi. Pert iawn." Oedodd, ac yna edrychodd arna i'n

ofalus. "Ti'n ei ffansïo hi 'fyd, on'd wyt ti?"

"Fi? ... Yndw. Ydi o mor amlwg â hynna?"

"Ody."

"O ... o wel. Ond sgen i fawr o obaith nagoes?"

"Pam ti'n gweud 'ny?"

"Dal wedi mopio ei phen efo ei hen gariad, tydi? Be oedd ei enw o hefyd?"

"Sion ... "

"Naci ... ti'n gwbod, y ploncar nath ei dympio hi — "

"Na, Sion ... "

"Rwbath yn dechra efo 'n' ... O ia, Nick! Nasty Nick!"

A dyna pryd sylweddolais i fod Mosh wedi bod yn trio deud rwbath wrtha i. Roedd o'n welw, ac yn sbio dros fy ysgwydd i. Mi drois inna ... a fan'no roedd Teleri, yn rhythu'n fud arna i.

"Teleri ... " medda fi, er ei fod o'n beth braidd yn amlwg i'w ddweud.

Roedd ei gwefusau hi'n crynu.

"Pam ti'n galw fe'n 'Nasty Nick'?" gofynnodd yn dawel.

"Ym ... cyflythreniad ... y Big Brother cynta ... ?" baglais inna.

"Pam?" Roedd hi'n daer, ofnadwy o daer. Felly mi benderfynais mai'r peth calla i'w wneud oedd egluro – yn onest.

"Wel, iddo fo allu gneud be nath o," eglurais, "mae'n rhaid ei fod o'n rêl hen grinc, a dwi wir yn meddwl mai'r peth calla ydi i chdi anghofio bob dim am y diawl."

Dwi'n meddwl i mi glywed Mosh yn rhoi ochenaid y tu ôl i mi. Ond allwn i ddim tynnu fy llygaid oddi ar wyneb Teleri. Welais i neb yn troi mor welw, mor sydyn. Roedd 'na ddagrau yn ei llygaid hi. Ac yna, ges i slap ganddi, reit ar draws fy moch chwith; slap oedd yn diasbedain, ac yn llosgi am hir wedyn. Ac yna, mi redodd i ffwrdd, yn gwthio pobol o'r ffordd yn ei brys i adael.

"Teleri?" gwaeddais, "Teleri!" a dechrau rhedeg ar ei hôl, ond ges i fy nal yn ôl gan law fawr Mosh ar fy ysgwydd.

"Iyffach dân, Sion!" ebychodd hwnnw, "be yffach sy'n bod arnot ti gwed?! 'Ar ôl be nath e iddi?' Beth yn gwmws wyt ti'n meddwl nath e?!"

"Ei dympio hi yndê! Brifo'r greaduras fach fel'na!"

Syllodd arna i'n fud, ac yna ysgwyd ei ben. "Sion," meddai'n dawel, "so ti wedi deall, wyt ti?"

"Deall be?"

"Mae Nick wedi marw."

3 Ionawr

Dwi'm wedi gadael y tŷ ers hynna. Alla i ddim dod dros pa mor dwp fues i. A dwi'm yn meddwl y bydd Teleri isio fi'n y band ar ôl i mi ddeud y ffasiwn betha wrthi. Does 'na 'run ohonyn nhw wedi fy ffonio i, beth bynnag, ac mae'r ysgol yn dechra fory.

Mi nath Mosh egluro'r hanes wrtha i, a llwyddo i wneud i mi deimlo'n waeth fyth. Roedd Nick yn y chweched, ac wedi bod yn canlyn efo Teleri ers blwyddyn pan ddigwyddodd o. Roedd o'n foi poblogaidd, clyfar, ac ofnadwy o dalentog. Ei syniad o oedd dechrau'r band, ac roedd o'n gallu cadw trefn ar bawb, hyd yn oed Jason. Am fod gan bawb gymaint o barch ato fo mae'n debyg. Beth bynnag, roedd o wedi bod yn nhŷ Teleri un noson, a newydd gychwyn adre ar ei foto beic; ond roedd hi'n noson arw, gwynt a glaw ac ati, a phan ddoth 'na lorri rownd y gornel, roedd hi wedi canu arno fo. Mi gafodd ei ladd yn y fan a'r lle. A rhedeg i dŷ Teleri wnaeth gyrrwr y lorri, i ofyn iddyn nhw alw'r ambiwlans. Mi redodd Teleri allan cyn i neb fedru ei stopio hi. Alla i ddim ond dychmygu be welodd hi.

Nath hi'm siarad am ddyddiau, ac ar ôl y cynhebrwng mi fuodd hi'n crio am wythnosau. Ac am fisoedd wedyn, dim ond i rywun ddeud ei enw o, mi fyddai hi'n beichio crio eto.

"Newydd ddachre dod mas o'i hunan mae ddi," meddai Mosh wrtha i, "a nawr ti wedi'i chnoco hi'n ôl 'to. Nice one, Sion." A dyna'r tro ola i mi ei weld ynta.

Dwi wedi codi'r ffôn ugeinia o weithia, a dechra deialu rhif Teleri, ond wedi ei roi o'n ôl lawr cyn iddo fo ganu. Does gen i jest ddim y gyts. A be fedra i ddeud wrthi, beth bynnag? Ar adegau fel hyn 'swn i'n lecio tasa Nain dal yma, ond aeth Dad â hi'n ôl adra jest cyn y flwyddyn newydd. Mae Mam wedi sylwi mod i'n dawedog, ond alla i ddim deud wrthi am hyn, dim ond ffysian a nhrin i fel plentyn fyddai hi. A does 'na'm pwynt crybwyll dim wrth Dad. Fysa ganddo ynta ddim syniad be i'w ddeud wrtha i. Ar wahân i roi llond pen i mi am focha efo "ryw hen fand pop. Pawb ar drygs mae'n siŵr ... " Pwy arall fedrai siarad efo nhw ta? Tydi'r hogia 'nôl adra heb gysylltu ers oes. Iawn, ges i ambell gerdyn Dolig, ond dim ond eu henwau nhw oedd arnyn nhw, dim holi sut o'n i na dim o'u hanes nhw. Y math o gerdyn Dolig sy'n deud wrthach chi na fydd 'na gerdyn arall Dolig nesa. A dyna Ashley wedyn. Alla i ddim troi ato fo rŵan ar ôl anghofio bob dim amdano fo y munud ges i nerbyn gan Penbwl. Mi fyddai o'n chwerthin yn fy ngwyneb i. Dwi yn y cach, a dwi'n haeddu pob llond rhaw ohono fo.

4 Ionawr

Wel, dyna hynna drosodd. Daeth Sian Tal ata i yn y cyntedd ar ôl cofrestru.

"Glywes i am beth wedest ti pwy nosweth," meddai hi'n nerfus, heb allu sbio'n iawn yn fy llygaid i. "A wy'n credu bod bai ar Mosh a finne. Nethon ni ddim egluro'n iawn do fe?"

"Wel," medda fi, "a bod yn onest, dwi'n meddwl mai fi neidiodd i mewn efo fy 'size tens' fel arfer. Clywed dechra'r frawddeg a chymryd y gweddill yn ganiataol."

"Sai'n gwybod. Wy'n un drwg am ddachre brawddeg a pheidio'i chwpla hi."

"Felly rhyngddon ni rydan ni'n eitha ... "

"Trychinebus ... " meddai hi efo gwên. Dechreuodd y ddau ohonan ni chwerthin.

"Marriage made in heaven," medda fi.

"Ha! Ie," gwenodd hithau.

Felly roedd Sian yn dal yn ffrindia efo fi. Dim ond tri i fynd. Mi ddwedodd Sian y byddai hi'n cael gair efo nhw, i egluro mod i ddim yn snichyn sbeitlyd, creulon, dim ond yn snichyn dwl, byddar.

Chwarae teg, erbyn amser cinio, roedd hi'n amlwg wedi bod yn brysur. Roedd 'na griw o'r hogia yn chwarae o gwmpas efo pêl rygbi ar y cae, Mosh a Jason yn eu mysg. Fel arfer, os ydw i'n trio ymuno efo'r criw rygbi amser cinio, maen nhw'n fy anwybyddu i, byth yn sbio arna i, heb sôn am basio'r bêl. Felly dwi wedi rhoi'r ffidil yn y to ers wythnosa. Ro'n i jest yn cerdded heibio ar fy mhen fy hun bach, rêl Billy No Mates, pan waeddodd Mosh:

"Hei, pishwr!" Mi godais fy mhen i weld y bêl yn dod yn syth amdana i fel bwlet. Mi'i daliais hi – debyg iawn. Mae o'n beth greddfol, tydi?

"Ti'n gallu 'i thaflu hi 'fyd?" gwaeddodd Jason. Cwestiwn gwirion. Felly mi daflais i hi ato fo, spin pass hir, berffaith, aeth yn syth i'w ddwylo fo. Aeth tua ugain pâr o eiliau i fyny fel un. Ha.

A dyna fo, fues i'n chwarae efo nhw nes i'r gloch ganu. Ddwedodd neb yr un gair am fy smonach i efo Teleri. Roedd y rygbi'n siarad drostan ni. Ac ar y diwedd, daeth Mosh ata i.

"Ga i air 'da Mr John os ti moyn. Iddo fe gadw golwg arnot ti am fwy na deg eiliad ... "

"Diolch." Ac yna ges i hergwd wagodd f'ysgyfaint i o bob owns o anadl. Fel'na mae o'n dangos cyfeillgarwch. Mi fydda gas gen i weld sut mae o'n dangos gelyniaeth.

Dim ond Teleri oedd ar ôl. Ac roedd gen i wers Gymraeg efo hi yn syth ar ôl cinio. Ro'n i'n eistedd yn fy sedd arferol pan gerddodd hi mewn i'r dosbarth efo dwy o genod eraill. Mi welodd hi fi, a rhoi nòd fach. Ond dim arlliw o wên. Ond be ro'n i'n ddisgwyl? Iddi redeg mewn a thaflu ei breichiau amdana i? Fi agorodd fy ngheg fawr. Fi frifodd hi, felly pam ddylai hi ddod ata i? Roedd hi wedi eistedd wrth ddesg y tu ôl i'w ffrindiau, a sedd wag wrth ei hymyl. Oedd gen i'r gyts i fynd ati hi? Nagoedd. Mi eisteddais lle ro'n i, fel llo. Ac yna dechreuodd y wers.

Astudio *Siwan* oedden ni – eto. Rydan ni wedi bod yn bustachu drwy'r blincin peth ers wythnosau, a finna heb fawr o fynadd. Gormod o eiriau o beth coblyn. Ond tro 'ma, mi darodd fi fel gordd. Roeddan ni'n mynd dros y darn reit ar y diwedd, lle mae Siwan a Llywelyn yn dod i ddallt ei gilydd eto. Roedd Miss Williams, yn ôl ei harfer, yn mynd i hwyl wrth ddarllen y darnau, ac wedyn yn gofyn cwestiynau i ni:

"Beth maen nhw'n ei ddweud go iawn man hyn, chi'n credu? Er enghraifft, man hyn nawr ... araith Siwan sy'n dachre 'Ofynna i ddim am faddeuant ... '?"

"Mae hi'n cymryd y mic allan o Llywelyn, Miss," cynigiodd Ashley, "typical menyw yn gwneud sbri am ei ben e."

"Girl power yw e, Miss!" protestiodd Catrin Prydderch, "mae'n dangos taw hi yw'r gryfa yn y berthynas."

"Chi'n cytuno?" gofynnodd Miss Williams i'r gweddill ohonan ni. "Sion? Beth wyt ti'n feddwl?" Trodd pawb i edrych arna i, i weld pa berlau fyddai'n dod allan o ngheg i. Maen nhw'n fy nabod i'n ddigon da bellach i wybod nad ydi Cymraeg yn un o fy hoff bynciau i. Ac fel arfer, fyddwn i'm wedi trafferthu i roi ateb call. Ond roedd pethau'n wahanol tro 'ma.

"Dwi ddim yn siŵr," atebais yn bwyllog, gan deimlo llygaid Teleri yn tyllu mewn i nghefn i. "Mae sylweddoli eich bod chi wedi gwneud camgymeriad yn dangos cryfder, tydi? Ac mae angen bod yn gryfach fyth i ofyn am faddeuant – a Llywelyn sy'n gneud hynny gynta. Ac yn gofyn fwy nag unwaith, er bod Siwan yn dal i neud hwyl am ei ben o. 'Swn i lecio tasa gen i hannar ei gyts o." Allwn i ddim peidio edrych i gyfeiriad Teleri, ond roedd ei chefn hi ata i, a'i phen yn ei llyfr. Ond roedd Miss Williams yn amlwg wrth ei bodd.

"Diolch, Sion! Nawr 'te, beth am sefyllfa Siwan man hyn?" Roedd 'na dawelwch am chydig, wedyn cododd Teleri ei llaw yn araf.

"Ie, Teleri?"

"Wel ... wy'n credu ei bod hi'n sylweddoli bod y ddau

wedi bod ar fai, a mae hi'n realist: 'achubwyd rhagom awr y dadrithio, y cogio cusanu, yr hen alaru a syrffed' – ma hi'n derbyn nawr efallai na fydde ei charwriaeth hi a Gwilym wedi para, felly mae'n haws iddi faddau i Llywelyn. A man hyn: 'Rhyngom yn y gwely os dof bydd drewdod – halogiad dy serch' – mae hi'n dweud y bydd yr atgofion ofnadw yno o hyd, a bydde'n rhaid byw gyda nhw. Mae e lan iddo fe os yw e'n gallu derbyn hynny."

"Ac mae o'n fwy na pharod," medda fi'n syth, cyn i neb arall allu dweud gair. " 'Estyn breichiau drostynt tuag at ein gilydd' medda fo; mae o isio hi'n ôl fwy na dim byd ... "
Edrychais i gyfeiriad Teleri eto, ac mi drodd hi – a dal fy llygaid. A ges i wên ganddi.

Ar ddiwedd y wers, mi ddoth hi ata i, a dal ei llaw allan.

"Ffrindie?" gofynnodd.

"Ffrindia," medda fi, ac ysgwyd ei llaw. A dwi'n gwbod fod hyn yn sopi, ond dwi heb olchi'r llaw yna ers hynny.

6 Ionawr

Mae gen i ddyled fawr i Mosh. Roedd o'n amlwg wedi cadw at ei air ac wedi cael gair yng nghlust Mr John Chwaraeon, achos yn y wers rygbi heddiw mi ges i chwarae efo'r criw sydd yn nhîm yr ysgol – fel canolwr. Ac o'r diwedd, mi ges i basus da gan Elfed rhif 10, a sgorio dau gais, a rhoi hymdingars o dacls i mewn. Ro'n i'n hedfan, mêt.

"Wel, Mr ap," meddai Mr John fel roeddan ni'n mynd 'nôl am y stafelloedd newid, "mae'n amlwg bod cwpwl o fishoedd 'da ni lawr man hyn wedi talu ar ei ganfed i ti.

Ti'n eitha chwaraewr nawr."

Be?! Y snichyn salw! DWI'N GALLU CHWARAE FEL HYN ERS Y DECHRA, MÊT, DIM OND DY FOD TI A DY DEBYG HEB DRAFFERTHU I ROI CYFLE I MI ro'n i isio gweiddi yn ei wyneb o, ond mi benderfynais i gau ngheg a gwenu'n ddiolchgar am y compliment. Ond ro'n i'n berwi tu mewn. Ro'n i'n dal i ferwi yn yr ymarfer ar ôl ysgol, efo hogia Blwyddyn 11 a'r chweched, ond mi weithiodd hynny o mhlaid i, achos ro'n i'n dychmygu mai Mr John oedd pawb ro'n i'n eu taclo, ac ro'n i'n eu stîmrolio nhw, un ar ôl llall. Ac mi rois i ambell hand-off y byddai Mike Tyson yn falch ohonyn nhw. Mi wnes i hyd yn oed roi un i Jason. Aeth o oddi ar y cae wedyn, yn poeni mod i wedi torri ei drwyn perffaith o. Babi.

Diwedd y gân? Dwi'n y tîm ar gyfer dydd Sadwrn nesa. Wel, hen bryd! Ond fydda i'm yn gallu dathlu efo'r hogia ar ôl y gêm – dyna'r noson rydan ni'n chwarae'n Aberystwyth. Typical. Dim byd yn digwydd am oes, wedyn mae bob dim yn digwydd yr un pryd. Fatha heddiw: yn syth ar ôl i'r gloch olaf ganu, roedd gen i ymarfer band chwyth – am ddwy awr.

Roedd Ashley yno, yn amlwg wedi cyrraedd ymhell cyn pawb arall, fel arfer. Ges i nòd cwrtais ganddo fo, cyn iddo fo droi at un arall o'r chwaraewyr cyrn Ffrengig. Fel'na mae o wedi bod ers i'r ysgol ailddechrau, yn rhoi nòd neu 'Hei' swta wrth basio. Tydi o'm hyd yn oed yn eistedd efo fi yn y gwersi rŵan. Jest am mod i'n yr 'A' crowd honedig, mae o'n meddwl bod 'na'm pwynt siarad efo fi, sy'n hollol hurt. Yndi, mae o'n bloncar embarasing, ond mae ei galon o'n y lle iawn. Fo oedd fy mêt cynta i'n y lle 'ma wedi'r cwbl. Ond rhyngddo fo a'i botes. Mae gen i ddigon ar fy mhlât heb boeni amdano fo. Ac mae

Teleri wedi dechra eistedd efo fi yn y gwersi Cymraeg rŵan, felly dwi'm yn cwyno – o bell ffordd.

Daeth Mr Whitby yr arweinydd i mewn, ei gopïau'n disgyn dros y lle i gyd fel arfer. Mi gymerodd ddeg munud da iddo fo gael trefn arnyn nhw eto – fel arfer.

"Iawn, pawb," gwichiodd yn ei lais soprano gorau, gan daro'r stand efo'i baton, "bant â ni ... 'Yesterday'." Hwnna ydi'i ffefryn o. Sut i ddifetha cân dda: rydan ni'n gorfod mynd drwy'r bali peth bob wythnos. A gorfod ei ddiodda fo'n canu dros y lle yn ystod y darnau sy'n ei blesio fo fwya. Tasa fo'n gallu canu, fyswn i'm yn poeni, ond mae gan frân well tonyddiaeth na Mr Whitby.

"Dewch mla'n!" gwichiodd ar ôl i ni fod wrthi am ddau funud ar y mwya. "Rhagor o sŵn! 'Na fe ... triola triola triola ... ta ta ta tici tici ta ta ta." Ro'n i wedi dechrau breuddwydio am Teleri yn eistedd wrth fy ochor i'n y wers Gymraeg ... yn closio ata i ... ei choes yn pwyso yn erbyn f'un i ... yn pwyso drosodd i sibrwd yn fy nghlust i, fel bod ei gwallt hi'n cosi fy nghroen i, ac yn deud, mewn llais isel, nwydus —

"Trombôns, chi mas 'to!"

Diolch yn fawr, Mr Whitby. Roedd fy mreuddwyd i'n deilchion. "A trumpets, ddylech chi ddim hyd yn oed bod yn y band 'ma! Stop stop stop ... mae hyn yn ofnadw! Ni'n mynd i ddechre 'to, a tro hyn, canolbwyntiwch! A chi, Mr ap Gwynfor, so chi hyd yn oed yn edrych arno i! Lle mae'ch meddwl chi, y?"

Es i'n goch fatha bitrwt. Naci, bitrwt wedi gneud awr o circuit training Mr John. Tasa Whitby m'ond yn gwbod lle oedd fy meddwl i'n union, mi fysa ynta fatha bitrwtan hefyd.

"Wel? Ni'n dishgwl, Mr ap Gwynfor ... "

"Ym ... am be syr?"

"I chi weud wrthon ni yn gwmws pam och chi'n stêro mas i outer space 'da gwên hurt ar eich wyneb chi!"

Trodd pawb i sbio arna i, a dechreuodd rhai o'r trwmpedi giglan. Roedd ganddyn nhw fwy o ddychymyg na Mr Whitby yn amlwg.

"Wel, Mr ap Gwynfor? Sda ni ddim drwy'r dydd!"

"Ym ... " Be goblyn ro'n i'n mynd i'w ddeud? "Yyy ... mwynhau'r miwsig ro'n i, syr. Gwefrau lawr fy nghefn i ... "

"Yfe nawr?" meddai Mr Whitby gan rythu'n galed arna i, heb gael ei dwyllo am eiliad. "Wel, os nag ych chi'n meindo, falle gallech chi ymuno â ni i greu y fath fiwsig hudol y tro hyn? Horns, shut up!! Ac os nag ych chi'n dangos mwy o ddiddordeb yn y band o hyn mla'n, bydd raid i fi ga'l gair 'da'ch rhieni chi ... deall?"

Deall yn iawn, y crinc bach pigog! Roedd Mam a Dad wrth eu bodd mod i'n y band chwyth, a tasa hwn yn deud rwbath wrthyn nhw, mi fysa'r ffaith mod i allan tan hanner awr wedi deg "yn ymarfer efo'r band" yn siŵr o ddod allan. Achos dyna lle dwi'n deud dwi wedi bod pan fydda i'n cael ymarferion nos Fercher efo Penbwl. Dwi'm yn deud celwydd mewn ffordd nacdw? Ond mae'r ymarfer band chwyth yn gorffen am 7.30. Felly mi nodiais fy mhen yn drist ar Mr Whitby, gan edrych yn bictiwr o edifeirwch dwys, ac mi fues i'n hogyn da am weddill y sesiwn. Ond tu mewn, ro'n i isio stido'r diawl.

Pan es i draw i ymarfer efo Penbwl wedyn, roedd Mosh wrth ei fodd yn deud wrth y genod mod i'n y tîm – diolch iddo fo.

"O?" meddai Teleri gyda diddordeb. "Ti'n fachan talentog iawn, felly? Gallu ware sacs *a* rygbi?"

"Wel ... wsti ... " medda fi, yn trio peidio cochi.

"Oi, watsia fe, Teleri, ma fe'n nytyr," cwynodd Jason, "buodd e bytu dorri nhrwyn i ... "

"O, didyms ... " meddai Sian Tal, "ti moyn i mi wythu arno fe?"

"O, cer i ware traffig," chwyrnodd Jason yn ôl.

"Wwwww!" chwarddodd Sian Tal. Gwenu wnaeth pawb arall.

Mae Teleri'n bendant yn gwenu lot mwy arna i rŵan, diolch i Siwan a Llywelyn. A dwi'n gwenu'n ôl arni hi. Heb ei wneud o'n rhy amlwg wrth gwrs. A dwi'n ei dal hi'n sbio arna i weithia. A hitha'n fy nal i'n sbio arni hi. Dwi'n meddwl bod 'na rwbath yn mynd i ddigwydd rhyngon ni. Roedd hi'n rhannu copïau o eiriau 'Let me entertain you' heno, ac fel roedd hi'n rhoi copi i mi, mi ddisgynnodd o ar y llawr. Mi blygodd y ddau ohonon ni 'run pryd i'w godi o wrth gwrs, a chracio pennau'n gilydd. Mae hynna wastad yn arwydd bod 'na rwbath ar fin digwydd, tydi? Hyd yn oed os nath Jason ein gweld ni.

"Oi! Gwylia fe, Teleri! Mae'r boi yn seico. Bytu torri nhrwyn i gynne fach, a nawr ma fe'n treial nyto ti. Ma fe'n headcase ... "

Ar adegau fel heno, dwi'n diawlio mod i mor ifanc. Taswn i'n 17, ac wedi pasio mhrawf gyrru, mi fyswn i'n gallu cynnig lifft adra i Teleri. Ond dim ond beic sy gen i. Felly Jason aeth â hi adra. Nath o'm cynnig lifft i mi. Ond mi'i gwela i hi'n yr ysgol fory.

Mae'n rhaid i mi gael y gyts i ofyn iddi fynd allan efo fi. Ond be wna i os 'di hi'n gwrthod? Ella mai cymryd fy amser fyddai galla – nes dwi'n berffaith siŵr bod ganddi awydd bod yn fwy na dim ond 'mêts'.

Cachgi? Yndw. Ond dwi wedi rhoi nhroed ynddi ddigon efo Teleri yn barod, felly pwyll pia hi. Neu 'ara

deg mae dal iâr', fel mae Nain yn ddeud wrtha i o hyd.
Nid mod i'n meddwl am iâr pan dwi'n meddwl am Teleri.
Ond be ydw i – dyn, ta llygoden, ta ceiliog? Na, fory, dwi'n
mynd i ofyn iddi. Bendant. Does 'na neb na dim yn mynd
i fy rhwystro i. Ti'm yn cael dim byd yn y byd 'ma heb
drio. (Rwbath arall mae Nain licio ei bregethu wrtha i.)

8 Ionawr

Typical. Mae gan rywun fyny fan'na uffar o synnwyr
digrifwch sâl.

Mi ddeffrais i bore ddoe yn teimlo fel tasa rhywun
wedi mynd drosta i efo stimrôlar, stwffio ugeiniau o rasals
i lawr fy nghorn gwddw a i llenwi mhen i efo uwd. Ffliw.
Mae Mam yn deud mai annwyd trwm ydi o, ond mae
hwn yn waeth nag annwyd, siŵr; ffliw ydi o a dyna fo.
Felly dwi wedi bod adra yn fy ngwely ers deuddydd, yn
marw. Dwi'n dal yn giami heddiw, ond ddoe, ro'n i'n
meddwl ei bod hi'n ta ta arna i. A Mam yn trio deud mod
i'n hypochondriac. Hy! Mi allwn i fod yn marw o cholera,
ac mi fysa hi'n dal i ddeud mod i'n hen fabi ac mai dim
ond annwyd oedd o.

Dwi'n siŵr mod i wedi colli o leia hanner stôn. Dwi'n
teimlo'n wan a phathetic. Fydd Teleri ddim isio sbio arna
i am mod i'n gymaint o wimp, ac mi ga i'n hanner lladd
yn y gêm ddydd Sadwrn. Fedra i jest ddim wynebu bwyd
pan dwi'n sâl. Yr unig ffordd dwi'n gwbod mod i'n gwella
ydi pan dwi'n cael awydd am fechdan tomato.

Dydd Sadwrn, 9 Ionawr

Ges i fechdan tomato.

A dyna lle ro'n i yn fy mhyjamas yn y gegin yn ei bwyta hi pnawn 'ma pan ganodd cloch y drws. Dad atebodd. Ro'n i'n gallu clywed ei lais o'n siarad efo rhywun:

"Sion? Wel, ydi, mae o'n well. Fysach chi lecio'i weld o? Yn y gegin mae o ... dowch mewn ... "

A chyn i mi gael cyfle i orffen llyncu be oedd gen i yn fy ngheg, roedd Dad wedi agor y drws, a fan'no oedd – Teleri. Jest i mi gael hartan. Dwi'n meddwl ei bod hitha wedi cael dipyn o sioc. Pwy fydda ddim, o ngweld i yn fy mhyjamas, yn denau a gwelw, a ngwallt i'n ddigon seimllyd i deep-fat-ffreio hynny o bysgod sydd ar ôl ym môr y gogledd.

"Helô, Sion," meddai hi yn y diwedd, "ti'n well?"

Do'n i'm yn gallu ateb am chydig, dim ond sbio'n hurt arni, efo bochau fatha hamster.

"Mfffm ... " medda fi, isio marw go iawn tro 'ma.

"Ym ... dwi wedi dod â fy nodiadau Cymraeg a Ffrangeg i ti," meddai hi wedyn, gan estyn ffeil i mi. "Ma 'da ni brawf ar *Siwan* dydd Llun." Llyncais.

"Diolch."

Daeth Mam i mewn wedyn, wedi bod yn rhoi dillad ar y lein.

"O, helô," meddai hi, gan wenu fel giât ar Teleri, "wedi dod i nyrsio'r claf ydach chi?"

"Ym ... " Teleri druan. Roedd hi'n edrych fel un o nhomatos i.

"Teleri ydi hon, Mam," medda fi'n frysiog, "mae hi'n

yr un dosbarth â fi."

"Wedi dod â gwaith ysgol iddo fo, chwarae teg iddi," ychwanegodd Dad, oedd yn amlwg wedi cymryd at Teleri yn ôl y ffordd roedd o'n gwenu arni. Rhyfedd. Mi fyswn i wedi disgwyl i'r strîcs piws yn ei gwallt hi fod yn ormod iddo fo. Ond ella mai'r ffaith ei bod hi wedi dod â llyfrau ysgol efo hi oedd wedi'i blesio fo.

"O, wel diolch i chi am feddwl amdano fo, Teleri," meddai Mam gan lenwi'r tecell. "Gymrwch chi banad efo ni?" Doedd 'na'm pwynt i Teleri wrthod, hyd yn oed tasa hi wedi trio. Fedar neb resymu efo Mam – na gwrthod panad. Mae pwy bynnag sy'n mentro mewn i'n tŷ ni yn styc yma am o leia dri chwarter awr, garantîd. Ac awn nhw byth o 'ma heb o leia hanner tebotiad o de, a hanner pwys o fisgedi neu gacenna yn eu boliau. Ffysian dros bobol ddiarth, ond yn ffysian dim dros fab gwael. Tydi'r peth ddim yn gneud synnwyr, nacdi?

"Ewch chi drwadd i'r parlwr," meddai Mam wrth Teleri a finna. "Gwynfor, helpa di fi i blygu'r dillad gwely 'ma tra bod y tecell yn berwi. A Sion? Sa'm yn well i ti wisgo côt godi neu rwbath dwa? Dwi'm yn gwbod be fysa pobol yn ddeud tasan nhw'n clywed mod i'n gadael i chdi entertainio genod ifanc yn dy byjamas ... " Roedd hi'n meddwl bod hynna'n hynod o ddoniol am ryw reswm. Ond do'n i'm yn mynd i nôl fy nghôt godi, nago'n? Mi fyswn i'n edrych hyd yn oed yn fwy o bloncar wedyn. Felly es i drwadd i'r parlwr fel ro'n i. Dilynodd Teleri heb ddeud gair o'i phen.

Safodd y ddau ohonon ni yno fel dau bostyn am chydig. Do'n i'm yn siŵr be i ddeud, a doedd hitha ddim chwaith. Trio peidio chwerthin am ben fy mhyjamas i oedd hi, debyg.

"Stedda," medda fi yn y diwedd, gan bwyntio at y soffa.

"Diolch," ac eisteddodd yn ofalus. Doedd hi ddim yn edrych yn gyfforddus o gwbwl. A rŵan roedd gen i broblem. Ble ro'n i fod i eistedd? Wrth ei hymyl hi ar y soffa? Na, mi fyswn i'n rhy agos at ei thrwyn hi, a finna'n dal i ddrewi o'r ffliw, yr hen ogla melys, chwyslyd 'na. Gyferbyn â hi ar y gadair freichiau ta? Wel, mi fysa hynny'n rhy stiff ac anghyfeillgar rhywsut. Ar ôl brathu gwefus am chydig, ges i'r gyts i eistedd efo hi ar y soffa. Gwenodd yn swil arna i.

"Ti'n well nawr 'te?"

"Yndw diolch." Wnes i ddim ei hatgoffa ei bod hi wedi gofyn hynna unwaith yn barod. "O, a paid â sôn gair am Penbwl – dwi'm wedi deud wrthyn nhw eto mod i mewn band."

"O, iawn."

Saib hir a thipian y cloc ar y silff ben tân yn swnio'n uffernol o uchel.

"Diolch am ddod â'r llyfrau," medda fi yn y diwedd, "doedd 'na'm rhaid i ti." Wps. Y peth anghywir i'w ddeud, yn ôl ei hwyneb hi.

"O. Ddrwg 'da fi – do't ti ddim moyn nhw ... "

"Na, dwi'm yn deud hynny ... "

"Beth wyt ti'n weud 'te?"

"Dim! Jest ... diolch ... "

"O."

Saib annifyr arall. Doedd hyn ddim yn mynd yn dda.

"Yli," medda fi ar ôl cnoi mwy ar fy ngwefus, "waeth i mi fod yn onest efo chdi ... "

"Na, af fi gatre nawr," medda hi a cheisio codi, ond tydi hi ddim yn hawdd gwneud hynny'n sydyn efo'n soffa ni; mae hi'n dy lyncu di rywsut, fel bod dy ben-gliniau di'n uwch na dy glustiau di.

"Adra? Pam?"

"Achos nagot ti moyn gweld fi, o't ti?"

Be?!

"Gwranda," medda fi'n frysiog, "dwi'n falch uffernol o dy weld ti ... jest ... 'sa well gen i taset ti ddim wedi ngweld i'n fy mhyjamas ... "

Edrychodd arna i'n hurt, ac yna chwerthin. Felly nes i chwerthin hefyd. Mi nath hi gyfadde pa mor nerfus oedd hi ynglŷn â dod yma o gwbwl, yn enwedig a hitha wedi bod mor ddigywilydd ar y ffôn efo Mam, a pha mor rhyfedd oedd hi'n yr ysgol hebdda i. A fel roedd hi wedi ffansïo fi ers y diwrnod cynta.

Y?

Ro'n i'n fud. Roedd 'na rywun wedi rhoi anferth o gwlwm yn fy nhafod i. Y cwbwl allwn i ei wneud oedd sbio i mewn i'w llygaid mawrion, tywyll hi. Wedyn mi nath hi roi ei llaw ar fy llaw i. Roedd o fel sioc drydan. Mi bwysodd tuag ata i. Mi bwysais innau tuag ati hi. Roedd ei gwefusau perffaith hi mor agos, roedden ni filimetrau i ffwrdd o 'touch down', ac ro'n i'n hedfan. Fel ro'n i'n cau fy llygaid yn barod i brofi eiliadau melysa mywyd i, daeth Mam i mewn – fel corwynt.

"Dyma fi o'r diwadd!" Neidiodd Teleri a finna'n ôl cyn iddi orffen deud y 'd' yn 'dyma'. "Mi gymrwch chi ddarn o nhorth frith i yn gnewch Teleri?" Ro'n i isio crio. "Sion? Cliria'r bwrdd coffi 'na bendith tad. Be ti 'di bod yn neud yr holl amsar 'ma – a titha'n gwbod mod i isio rwla i roi'r hambwrdd 'ma! Onestli ... mae o'n hoples 'sti, Teleri ... " bla bla a mwy o bla.

Dyna dri chwarter awr hira mywyd i. Ro'n i jest â marw isio i Mam ddiflannu i ni gael action replay, ond mi fynnodd aros efo ni, a dod â'r albwm lluniau allan ... mi gafodd Teleri ngweld i'n fabi bach hyll, tew, yn gowboi yn y carnifal pan o'n i'n chwech, yn pageboy i Anti Megan, yn edrych rêl prat ym Mlwyddyn 1, efo fy ffrinj mewn 'side parting' o uffern ... y cwbwl. Ac wedyn, mi drodd at y silff ben tân ...

"Ydi o wedi dangos hwn i ti, Teleri?" gofynnodd gan bwyntio at Y Llun. "Fi, yli ... Miss Prestatyn 1973. Ro'n i'n 36, 24, 36 'sti!"

O, na ... Ond rhywsut, mi lwyddodd Teleri i wneud y synau iawn. A chyn bo hir roedd yr artaith drosodd, ac aeth Teleri adre, heb i ni fedru hyd yn oed cyffwrdd llaw eto. Ond mi'i gwela i hi eto ddydd Llun yn rysgol. Fedra i'm aros. Dwi mewn cariad. Go iawn. Mae'n rhaid ei bod hitha hefyd, os oedd hi'n mynd i roi sws i rywun drewllyd, gwallt seimllyd, mewn pyjamas.

Teleri, Teleri, Teleri.

Teleri 4 Sion.

Sionlyfstel.

Telyfsion. Dyna fydd enw'n tŷ ni. O waw ... mae hyn yn deimlad ffantastic. Gwell na chwarae'r sacs. Gwell na sgorio hat-tric. Wel, bron iawn. Ond mi fydd o pan gawn ni lonydd go iawn.

11 Ionawr

Doedd Teleri ddim yn yr ysgol. Ffliw.
AAAAAAAAA!!!!

13 Ionawr

Dim ymarfer Penbwl heno am fod Teleri a Mosh yn sâl.
Dwi wedi gyrru cerdyn "Brysia Wella" iddi. A rois i gwpwl
o swsus arno fo. Jest â marw isio'i gweld hi eto. Jason yn
poeni am y gig nos Sadwrn. Dydi o'm yn meddwl ein bod
ni'n barod, felly mae o wedi trefnu sesiwn ymarfer arall i
ni nos Wener.

15 Ionawr

Aeth yr ymarfer yn dda. Teleri'n edrych yn welw, ond
gorjys. Mosh yn edrych yn uffernol. Mae o'n poeni sut
gêm gaiff o fory. Dw inna hefyd.

Ches i ddim cyfle i siarad yn iawn efo Teleri, ond mi
fuon ni'n gwenu lot ar ein gilydd, ac mi nath hi ddiolch
am y cerdyn.

"Pa gerdyn?" gofynnodd Sian Tal, oedd yn digwydd
bod o fewn clyw.

"Yr un 'brysia wella' yrrodd e i mi," gwenodd Teleri.

"Yrres i un i ti hefyd," meddai Sian Tal, braidd yn
sychlyd.

"A finne," chwyrnodd Mosh, oedd wedi bod yn
gwrando.

"O, do, sori. Diolch i chithe 'fyd," meddai Teleri, heb
dynnu ei llygaid oddi arna i. Ro'n i wrth fy modd. F'un i
oedd bwysica iddi, felly.

Mi fedar fory fod yn un o ddiwrnoda pwysica mywyd
i. Cyfle i ddangos sut chwaraewr rygbi ydw i, a chyfle i

fod yng nghefn fan transit efo Teleri am oria ... yn y tywyllwch. YEEESSS!!

Mosh druan, doedd 'na'm hwyliau da arno fo o gwbwl, a phrin nath o dorri gair efo fi. Dal heb ddod dros y ffliw mae'n siŵr.

16 Ionawr

Mi enillon ni'r gêm – 15–13. A fi sgoriodd un o'r ceisiau. Doedd o ddim yn un ffantastic Scott Gibbsaidd, mwy o ddigwydd bod pum llath o'r llinell a rhwng Jason a'r bêl, (anelu'r bàs ato fo oedd y maswr, ond fi daliodd hi) ond roedd o'n gais a dyna fo. Roedd pawb heblaw Jason yn fy llongyfarch. Dwi'n amau i mi glywed y gair 'mwlsyn' a deud y gwir. A hyd yn oed pan rois i hymdingar o bàs iddo fo, olygodd ei fod ynta'n sgorio cais, ddwedodd o ddim byd. Crinc anniolchgar. Ond do'n i'm yn poeni. Roedd Teleri wedi dod i'n gweld ni, a phob tro ro'n i'n cael y bêl, roedd hi'n gweiddi mwrdwr. Dwi 'rioed wedi profi hynna o'r blaen – cael cariad (wel, mae hi'n gariad i mi rŵan tydi?) yn gweiddi cefnogaeth fel'na. Teimlad braf. Fyddai Ceri Hughes byth yn dod i ngweld i'n chwarae. Doedd hi'm yn dallt y rheolau. A bod yn onest, dwi'm yn siŵr faint oedd Teleri'n ei ddallt chwaith, gan ei bod hi'n sgrechian "Foul!" bob tro ro'n i'n cael fy nhaclo. Ond roedd Sian Tal (oedd wrth ochor Teleri erbyn gweld) yn amlwg yn dallt yn iawn ac yn gwneud bywyd y dyfarnwr yn uffern.

"O'dd honna'n fforward pass, y rhacsyn! Tacl hwyr, reff!! A beth bynnag, o'dd e offside! REFFFF! Chi'n ddall neu beth?!"

Beth bynnag, roedd hi'n gêm dda, ac roedd Mr John yn canmol ei ddulliau hyfforddi ei hun i'r cymylau. Ond prin ro'n i wedi cael cawod a llyncu fy sosej a sglodion, pan ddechreuodd Jason swnian ei bod hi'n bryd i ni hel ein traed am y gig. Roedd o wedi llogi fan transit, ac yn amlwg wedi gobeithio cael Teleri yn y blaen efo fo, ond roedd hi am ddod i'r cefn efo fi. Doedd Jason ddim yn hapus. Doedd y gêr-bocs ddim chwaith, yn ôl y sgrechian roedd o'n ei wneud bob tro roedd Jason yn trio newid gêr. Ond ro'n i'n hapus braf, wedi fy ngwasgu'n dynn wrth gluniau hirion Teleri yn y cefn. Fuon ni'n dal llaw yn slei hefyd. Sopi dwi'n gwbod, ond neis. Mi fyswn i wedi trio rhoi sws iddi tasa Mosh ddim yn eistedd gyferbyn yn rhythu fatha bwch arna i. Cwyno fod y PA yn anghyfforddus yn erbyn ei war oedd o, ond 'swn i'n taeru ei fod o'n fy meio i am y peth. Sian Tal oedd yn y sedd flaen efo Jason, a gwrando ar ei walkman fu hi yr holl ffordd, yn mwmian canu iddi ei hun a'i llygaid ar gau – oedd yn syniad da, gan fod gyrru Jason yn ddigon i roi hartan i rywun. Ond do'n i'm yn cwyno. Bob tro roeddan ni'n sgrialu rownd cornel, roedd Teleri a finna'n gwasgu'n gilydd yn slepjan, ac yn mwynhau bob eiliad. Rhuo'n flin oedd Mosh bob tro, a galw Jason yn bob enw dan haul.

Roedd y dafarn yn hollol wag pan gyrhaeddon ni. Ond erbyn i ni osod bob dim yn barod, roedd 'na griw o tua ugain o fyfyrwyr wedi cyrraedd. Doedden nhw ddim yn cymryd llawer o sylw ohonon ni, sesh pen-blwydd neu rwbath oedd o, ac roedd hi'n amlwg mai meddwi'n rhacs oedd prif fwriad y noson. A chan nad oedden ni'n enw nac yn wynebau cyfarwydd – ac yn edrych yn ifanc – doedden nhw ddim yn bwriadu aros i glywed sut sŵn oedd ganddon ni. Dim ond un person yn y bar i gyd oedd yn eistedd yn dawel yn disgwyl i ni ddechrau: yr hen foi gwallt gwyn ro'n i wedi ei weld noson y parti Nadolig ac yn y clyweliadau. Roedd o'n dal yn yr un denims, yn yfed hanner o Guinness, ac yn rhowlio baco'n hamddenol. Be oedd o'n da yn Aberystwyth ar nos Sadwrn? Ond ches i ddim amser i bendroni dros y peth – ro'n i'n rhy nerfus. Yn sydyn, roedden ni i gyd yn cachu brics – hyd yn oed Jason, oedd rêl dynas yn ffysian am ei wallt, ac roedd Sian Tal yn siarad efo hi ei hun:

"Wy moyn mynd gatre ... wy rili moyn mynd gatre ... sai moyn gwneud hyn ... "

Ond roedd Teleri druan yn waeth na neb. Roedd Mosh wedi prynu diod iddi, ond doedd hi ddim yn gallu ei yfed o, roedd hi'n crynu gymaint. Mi fuodd hi'n y tŷ bach am o leia deg munud, a phan ddoth hi'n ôl, roedd ei llygaid hi'n goch.

"Hwdu 'to?" gofynnodd Sian Tal. Nodio wnaeth Teleri a rhoi gwên fach i mi.

"Wy'n well nawr." Camodd o flaen y meic, a throi aton ni. "Sdim pwynt i fi weud dim wrthyn nhw. Jest bwrw iddi, yfe?"

Roedd pawb yn cytuno. Felly dechreuodd Mosh daro ei ffyn, un, dwy, tair gwaith, ac i ffwrdd â ni, i mewn i'n fersiwn ni o 'Let Me Entertain You', sy'n dipyn llai 'cheesy' na fersiwn Robbie Williams.

Trodd rhai o'r myfyrwyr i sbio arnon ni; dal i weiddi, siarad a chwerthin wnaeth y lleill. Ges i woblar bach ar un riff, ac anghofiodd Teleri ddod mewn yn y lle iawn ar gyfer un bennill, ond aethon ni drwyddi'n rhyfeddol. Erbyn yr ail gân, roedd dros hanner y myfyrwyr wedi troi i'n hwynebu ni, ac ambell un hyd yn oed yn symud i'r miwsig. Doedd yr hen foi gwallt gwyn ddim wedi symud o gwbwl, ond dynnodd o mo'i lygaid oddi arnon ni am eiliad. Erbyn y bumed gân ('Cofio Cau y Drws' Big Leaves) roedd 'na griw o bobol wedi dod drwadd o'r bar arall, ac roedd 'na fwy yn dod mewn, wedi'n clywed ni o'r tu allan. Pan orffennon ni'r set gyntaf, roedd y lle'n hanner llawn, a phawb yn clapio a gweiddi.

"Diolch yn fawr i chi," meddai Teleri, oedd wedi ymlacio go iawn bellach, ac yn amlwg yn mwynhau ei hun, "fyddwn ni'n ôl mewn ryw ugain munud. Peidiwch â mynd yn bell!"

Trodd i'n hwynebu ni efo gwên anferthol ar ei hwyneb.

"Ma nhw'n lico ni!"

"Pam ti'n swno mor shocked?" gofynnodd Mosh. "Ni'n blydi briliant, wrth gwrs bo nhw'n lico ni!"

"Esgusodwch fi," meddai Sian, gan roi ei gitâr i lawr, "wy'n gorfod mynd i'r tŷ bach, wy 'di bod yn croesi nghoese ers ugain munud! Pam na fyddech chi wedi atgoffa fi i fynd cyn dachre?!" Neidiodd dros y PA, a diflannu drwy'r drws.

"Ond Sian," galwais ar ei hôl, "y dynion sydd fan'na."

"Tyff!" daeth gwaedd drwy'r drws, "ma fe'n agosach!"

Daeth rhai o'r myfyrwyr aton ni, i ysgwyd llaw a'n llongyfarch ni. Roedden nhw isio gwbod bob dim amdanon ni, ond pan ddechreues i ddeud ym mha flwyddyn ysgol ro'n i, ges i gic gan Jason.

"Ni gyd yn y chweched," meddai'n syth. Wrth gwrs, mae'n rhaid mai dyna be oedd o wedi ei ddeud wrth y barman. (Mae ganddon ni hawl i berfformio mewn tafarn, ond mae'n siŵr ei bod hi'n haws os ydyn nhw'n meddwl ein bod ni gyd dros 18.) Ac erbyn gweld, roedd 'na rai o'r myfyrwyr yn edrych yn llawer, llawer iau na fi. Ac roedd hynna'n gwneud i mi deimlo'n eitha cŵl. Roedd Teleri eisoes wedi deud wrtha i mod i'n edrych yn dda yn fy nghrys-T du, tyn. Doedd Mosh ddim wedi cytuno:

"Hy. Ti'n edrych yn hoyw."

Ac yna, daeth y dyn gwallt gwyn aton ni.

"Shwmai," meddai mewn llais ac ôl blynyddoedd o smocio baco arno. "Da iawn. Rydych chi'n dangos real potential." Roedd hi'n amlwg mai wedi dysgu Cymraeg oedd o, a phan ddywedodd o 'real potential' roedd ei acen Americanaidd yn gryf. Trodd Mosh ato.

"You've been watching us before, haven't you?"

"Sdim rhaid i chi droi i'r Saesneg," meddai Mr Denim. "Wy'n deall Cymraeg yn iawn. Ac ydw, dwi wedi bod yn eich gwylio chi o'r blaen. James Roberts – ond galwch fi'n Jim Bob – at eich gwasanaeth." Ac estynnodd ei law i ni. Mi wnes i drio peidio gwingo pan wasgodd o fy llaw i.

Mi brynodd bob i ddiod i ni, a dechrau egluro pwy oedd o a pham fod ganddo fo gymaint o ddiddordeb ynddon ni.

"Symudais i yma o Texas bum mlynedd yn ôl, ar ôl ymddeol yn gynnar. Dysgu Cymraeg ar gwrs Wlpan yn Llanbed, a jyst joio byw mewn gwlad mor wahanol." Tynnodd yn hamddenol ar ei sigarét a gwenu arnon ni. "Ond ar ôl eich clywed chi yn y Llew Du pwy nosweth, roedd o'n codi ... beth yw e? ... hiraeth arno i."

"Beth? Am Texas?" gofynnodd Sian Tal.

"Nope," chwarddodd Jim Bob, "am yr hen ffordd o fyw ... that old familiar feeling ... " Gwenodd eto a phwyso'n ôl yn ei gadair. "Ro'n i'n arfer bod yn rheolwr bandiau."

Syllodd pawb arno gyda diddordeb. Pawb ond Mosh. Roedd hwnnw'n sbio'n amheus iawn arno.

"O?" gofynnodd Mosh, "pa fandiau oedd rheiny felly?"

"Neb mawr iawn," gwenodd Jim Bob, "neb fyddech chi'n ei nabod yr ochr hyn o'r Atlantic, a beth bynnag, roedd e cyn eich amser chi."

"Triwch ni," gwenodd Mosh yn ôl, yn amlwg ddim yn credu gair roedd o'n ei ddweud.

"Ok," meddai Jim Bob, "Spirit – grŵp roc eitha trwm – a Grand Funk Railroad."

"Shwt fiwsig o'n nhw'n ware?" gofynnodd Sian Tal.

"Funky," atebodd Jim Bob. "'Na pam o'n nhw'n galw eu hunain yn Grand Funk Railroad ... " ychwanegodd, ond heb fod yn sarcastig o gwbwl. Ro'n i'n dechrau cymryd at y boi. Ro'n i'n hoffi ei steil o. Roedd o mor laid back, roedd o'n llorweddol.

"O'n nhw'n llwyddiannus yn America?" gofynnodd Jason.

"Eitha," gwenodd Jim Bob. "Mae'r GFRs yn dal i ware wy'n credu."

"Ond hebddoch chi ... " gwenodd Mosh yn ôl, "gawsoch chi'r sac do fe?"

"Just moved on, friend," meddai Jim Bob, yn amlwg yn mwynhau ei hun. "Beth bynnag, wy'n credu bod ganddoch chi rywbeth special, ac os ych chi moyn rheolwr, bydden ni'n hapus iawn i ... ym ... "

"Lenwi'r bwlch?" cynigiais i.

"Yup. Ie, llenwi'r bwlch, 'na fe. Ond meddyliwch am y peth. Os chi moyn cysylltu 'da fi, gadewch neges yn y Mega-Beit."

"Pam fan'ny?" gofynnodd Teleri.

"Fi yw'r perchennog," meddai Jim Bob gyda winc. Yna cododd ar ei draed, dymuno siwrne dda i ni adre, a gadael. Edrychodd pawb ar ei gilydd yn syn.

"Sai'n lico pobol sy'n winco," meddai Mosh.

"O, Mosh ... " wfftiodd Sian Tal, "wy'n lico fe. Ma fe'n cŵl."

"Antique," meddai Jason, "mae'n rhaid ei fod e o leia 65. A so OAPs fod i wisgo denims ... "

"Wy lico'i enw fe," meddai Teleri, "Jim Bob ..."

"Fel rhywbeth mas o'r Waltons," chwyrnodd Mosh, "a ma fe'n hoyw."

"Hoyw?!" adleisiodd Teleri a Sian Tal, "beth sy'n neud i ti weud 'ny?"

"Soniodd e ddim gair am wraig do fe?"

"O, Mosh!"

"A ta beth," ychwanegodd Sian Tal, "hyd yn oed os yw e'n hoyw, beth sy'n bod ar 'ny?"

"Iawn i ti, menyw wyt ti," chwyrnodd Mosh,"a sai erio'd wedi clywed am Grand Funk Railroad ... ma fe'n neud y cwbwl lan, wy'n gweud wrthoch chi ... "

Mi fuon ni'n trafod Jim Bob ar y ffordd adre, heb ddod i unrhyw benderfyniad call. Ond mi wnes i gynnig ymchwilio mewn i'r Grand Funk Railroad 'ma ar y We. Felly dwi awydd gwneud hynny rŵan, y munud 'ma.

Waw! Maen nhw'n bod – ers 1969! Fethes i ddod o hyd i enw unrhyw reolwr, ond ges i glywed cwpwl o'u caneuon nhw, ac maen nhw'n grêt!

O ia, ar ôl trafod Jim Bob, mi syrthiodd Mosh i gysgu. Felly mi drois i at Teleri, ac mi drodd hi ata i. A ges i'r snog hira, mwya ffantastig, ges i 'rioed. Roedd hi'n bendant yn werth aros amdani. Os oes 'na record ar gael am y snog hira erioed, dwi'n siŵr ein bod ni wedi ei churo hi – roedd hi'n o leia 36 milltir. Mi ddeffrodd Mosh ar ôl 37. Dwi'n gwbod hyn, achos mi glywais i rywun yn tuchan, felly mi wnes i agor un llygad i sbio. Mi ddaliodd o fy llygad, gwgu, yna cau ei lygaid ac esgus mynd 'nôl i gysgu eto. Ond dwi'n gwbod mai esgus oedd o, achos roedd o wedi bod yn chwyrnu fatha mochyn am 37 milltir, a rŵan roedd o'n hollol dawel. Pan gyrhaeddon ni adre, ges i sws arall gan Teleri o flaen pawb. Felly dyna fo, mae o'n swyddogol. Rydan ni'n dau'n gariadon, yn canlyn, yn "mynd mas". Ac mae o'n deimlad grêt. Hyd yn oed os ges i stic gan Jason. Stwffio fo. Pen rwdan. Ddeudodd Mosh ddim gair allan o'i ben, ac esgus stwffio dau fys i lawr ei chorn gwddw wnaeth Sian Tal. Hy. Dydyn nhw m'ond yn jelys.

20 Ionawr

Wedi bod yn rhy brysur yn siarad efo Teleri ar y ffôn bob nos i sgwennu dim yn hwn. Heb sôn am bob dim arall: y band chwyth, ymarferion rygbi, ymarferion Penbwl, aseiniad 3 ffolio Cymraeg a Ffrangeg: "Remplissez les blancs". Dwi ar ei hôl hi braidd o ran gwaith ysgol rŵan, ond mi wna i ddal i fyny wsnos nesa, dim problem. Ches i'm cyfle heno – ymarfer Penbwl. Ac ar ôl ryw ddwyawr o chwarae, gawson ni bleidlais ynglŷn â Jim Bob. O 3 i 2, (Mosh a Jason oedd yn erbyn) rydan ni wedi penderfynu rhoi chwe mis o dreial iddo fo. Mi ffoniodd Teleri i ddeud wrtho fo'n syth. Roedd o wrth ei fodd, ac mae o wedi addo y byddwn ni'n cael llwyth o gigs, sesiwn recordio, cyfweliadau radio a theledu – bob dim – o fewn y chwe mis hwnnw.

"Iyffach, fyddwn ni ar MTV erbyn wythnos nesa os chi'n credu popeth ma fe'n weud," wfftiodd Mosh. Ond mae o wedi cytuno i drio gwneud efo Jim Bob am y chwe mis, er tegwch i bawb arall. Hyd yn oed os ydi o'n hoyw.

Dwi'n tueddu i gytuno efo Mosh ynglŷn â hynny gyda llaw, ond does gen i'm problem efo'r peth. Dwi ddim yn siŵr iawn pam fod Jason wedi pleidleisio yn ei erbyn o, ond dwi'n amau fod a wnelo fo rywbeth â'r ffaith mai Jason oedd y bòs tan rŵan. Dydi o ddim yn un am gymryd ordors, yr hen Jase.

Mae Mam wedi bod yn fy holi i'n dwll be'n union dwi'n neud bob nos, lle dwi'n mynd ac ati. Dwi jest yn dal i ddeud mai ymarferion band chwyth sydd gen i bob tro. Dwi'm yn hapus mod i'n palu celwydd wrthi fel hyn, ond fyddai hi ddim yn dallt. Ac mi fyddai Dad yn mynd yn benwan. Fydden nhw ddim ond yn ffysian mod i'm yn treulio digon o amser ar waith ysgol a ryw lol fel'na. Ac os fydda i'n gallu prynu clustdlysau deiamwnt iddi ymhen chydig flynyddoedd, mi neith Mam faddau i mi. A fydda Dad ddim yn gwrthod Ferrari. Ond ges i row gan Mam am fod ar y ffôn mor hir neithiwr, a hitha'n disgwyl galwad ynglŷn â gwersi nos yoga mae hi ffansi eu gwneud. O na, mae hi ddigon od fel mae hi, heb ei chael hi'n sefyll ar ei phen drwy'r dydd.

22 Ionawr

Iechyd, mae Jim Bob yn un sydyn. Mae o wedi trefnu gig i ni'n barod – mewn dawns Clybiau Ffermwyr Ifanc yn Nhregaron ne rwla – mhen tair wythnos. Ac mae o isio i ni ymarfer bob nos Lun a nos Fercher o hyn ymlaen. A drwy ddydd Sul pan fydd hynny'n bosib. Ac mae o isio i ni sgwennu stwff ein hunain, yn hytrach na jest gwneud cover versions. Dwi'n cytuno efo fo, ond do'n i'm wedi meiddio cynnig hynny fy hun. Roedd gen i ofn i'r lleill feddwl mai jest trio gwthio fy hun ro'n i ... ond dwi'n potsian sgwennu ambell gân weithia ... sgwennais i ddwy am Tels wsnos dwytha a bod yn onest, jest bod neb heblaw fi a'r gath wedi'u clywed nhw. A dwi'm yn siŵr a oes gen i'r gyts i gynnig dim rŵan chwaith. Ella 'na i ddangos nhw i Tels gynta. Gawn ni weld. Roedd hi i'w gweld yn eitha keen ar sgwennu rwbath hefyd – a Sian Tal:

"Wy'n eitha barddonol. Enillais i am sgwennu cerdd yn Steddfod yr Urdd pan o'n i'n Blwyddyn 8," meddai, a'i llygaid yn sgleinio.

"Waw. Felly rwyt ti'n John Lennon nawr, wyt ti?" meddai Jason.

"O ca dy ben, Jason!" gwylltiodd Teleri, a throi'n garedig at Sian Tal, "am beth oedd y gerdd?"

"Am fy nghi i'n marw."

Edrychodd pawb yn hurt ar ei gilydd, ac yna, mi bwffiais i chwerthin, ac yn syth, dechreuodd pawb arall chwerthin hefyd. Pawb ond Sian Tal.

"Pam chi'n werthin? So fe'n ddoniol! O'n i'n caru'r ci 'na!"

Ceisiodd Jim Bob egluro:

"Wy'n siŵr ei fod e wedi bod yn brofiad ofnadwy, honey, wy wedi colli sawl ci fy hunan a wy'n gwybod shwd wyt ti'n teimlo, ond ... wel ... wy'n siŵr dy fod ti'n gallu gweld pam na fyddai'r testun yn totally suitable i'r band."

"Sai'n gweld pam lai," meddai Sian yn bwdlyd; "bydde llwythi o bobol yn gallu uniaethu 'da'r profiad."

"Sai'n gweud llai," cytunodd Jim Bob yn garedig, "ond ... "

"O, sdim ots," meddai Sian, "sai moyn sgwennu fflipin caneuon ta beth." Plethodd ei breichiau'n dynn, a ddywedodd hi 'run gair am weddill y cyfarfod. Argol, mae'r hogan yn moody.

Ond ddim mor moody â Jason. Mae'r boi fatha matsian. Y cwbwl wnes i heno oedd tynnu'i goes o am ei wallt, a'r peth nesa, ro'n i'n erbyn y wal, a'i geg hyll o'n poeri rhegfeydd i ngwyneb i. Mi nath Mosh ei lusgo fo oddi arna i, ac o fewn munudau, roedd o fel tasa fo wedi anghofio bob dim am y peth. Mi wnes i holi Tels ynglŷn â'r peth nes mlaen, ond:

"Fel'na mae e," meddai hi, "wastad wedi bod. O'dd fy mam i'n ei ddysgu e'n yr ysgol gynradd, ac o'dd hi'n gweud bod 'da fe dymer anhygoel bryd 'ny. Buodd e bytu boddi un bachgen pan o'n nhw mas yn casglu penbyliaid. A'r cwbwl nath y bachan druan o'dd rhoi un penbwl bach ar ei ben e, fel jôc."

Mae o rêl anifail ar y cae rygbi 'fyd, ond pan ti ynghanol 29 o hogia gwyllt eraill, tydi'r peth ddim mor amlwg rywsut.

29 Ionawr

Dwi newydd sylweddoli mod i prin wedi torri gair efo neb yn yr ysgol ar wahân i Tels, ers oes. Roeddan ni'n dau'n cael sws slei tu ôl y labs pan ddoth Ashley rownd y gornel. Aeth o'n goch i gyd, mymblo rwbath annealladwy, a rhedeg i ffwrdd. Boi od.

Dwi'n siarad rhywfaint efo gweddill Penbwl pan fyddwn ni'n ymarfer, ond, yn yr ysgol, dim ond efo Tels. Dydi Mam ddim yn dallt pam ein bod ni'n gorfod siarad am o leia tair awr bob nos, a ninna'n gweld gymaint ar ein gilydd yn yr ysgol, ond does 'na'm disgwyl iddi ddallt nagoes? Cariad ydi hyn, ac mae hi'n rhy hen i gofio sut

beth oedd cariad ifanc, nwydus, ffantastic. Ac mi wnes i
fwy neu lai ddeud hynny wrthi hefyd. Mi nath hi ddechra
protestio, ond mi roth y gorau iddi pan nath hi sylweddoli
mai fi oedd yn iawn.

Dwi wedi bod yn gweithio mwy ar y caneuon, a dwi
am adael i Tels eu clywed nhw nos fory, i weld be ddeudith
hi. Dwi reit nerfus.

30 Ionawr

Mae Tels ar ei ffordd draw. Fydd hi yma mhen ryw hanner
awr. Meddwl 'swn i'n sgriblo rwbath yn hwn tra dwi'n
aros. Fawr ddim i'w ddeud chwaith.

O oes, gwaetha'r modd. Aeth Mam i Abertawe i siopa
heddiw. A phan gyrhaeddodd hi'n ôl, oedd Dad na finna'n
methu coelio ein llygaid. Mae hi wedi rhoi extensions yn
ei gwallt. Rhai melyn. Mae hi'n edrych fel croes rhwng
Rastafarian a nain Britney Spears.

"Wel? Be dach chi'n feddwl?" gofynnodd, gan droelli
o gwmpas y gegin. Roedd y ddau ohonan ni'n fud. Y
gwirionedd oedd ei bod hi'n edrych yn blydi hurt, 'mutton
dressed as lamb' go iawn, ond edrychodd y ddau ohonan
ni ar ein gilydd gan wybod y byddai'n rhaid i ni ddeud
celwydd – mawr.

"Neis iawn," cynigiodd Dad.

"Neis?!" gwaeddodd Mam, "dim ond neis?! Sgin ti
syniad faint gostiodd hyn i mi?!"

"Ym ... trawiadol," meddai o wedyn. Roedd hi'n hapusach
efo hynna, ac wedyn, mi hoeliodd ei llygaid arna i.

"Ym ... ffasiynol iawn," medda fi, a gweld yn syth ei
bod hi angen mwy na hynna. Felly es i amdani go iawn:

"Dach chi'n edrych ddeg mlynadd yn hŷn. Sori – iau."

"O, Sion, ti'n meddwl? Diolch i ti, del." Ffiw! Dyna pryd wnes i ddianc fyny fan'ma, a rŵan mi fydd Tels yn gweld pa mor boncyrs ydi fy mam i.

11.00 y.h.

Mae Tels newydd adael. Roedd hi licio'r extensions. Mi fyswn i licio deud mod i'n amau faint o chwaeth sydd gan y ferch, ond alla i ddim – roedd hi licio nghaneuon i hefyd. Yn enwedig yr un sy'n mynd:

"Seren wib, o lle ddoist ti –
dros ba bant a bryn?
Seren wib, fy mreuddwyd i
yw bod efo chdi fan hyn ... "

Mi fuon ni'n snogio am oes wedyn, i gyfeiliant Ash. Mae ngwefusau i braidd yn sôr rŵan. Ond roedd o werth o. Dwi wedi mopio mhen yn lân. Dydan ni'm yn sgwrsio llawer, ond pwy sydd angen siarad pan ti'n gallu snogio fel'na?

31 Ionawr

Typical! Mae gen i ddolur annwyd fel Cader Idris ar fy ngwefus isa. Roedd o'n cosi amser brecwast, ac erbyn cinio, roedd o wedi chwyddo'n fawr ac yn goch. Mi brynais i stwff o'r chemist, ond dwi'n meddwl mod i'n rhy hwyr. Mae o'n dal i dyfu. Dwi'n teimlo fel tasa gen i big fel Donald Duck, a dwi'n edrych fatha fo hefyd. Mae gwefusau Tels yn iawn, ond dydi hi ddim isio nghyffwrdd i nes bydd o wedi mynd. Digon teg. Ond alla i ddim peidio â theimlo fel gwahanglwyf.

Mam yn boen, yn gwylltio efo fi bob tro dwi'n ffidlan efo'r blincin peth. Haws deud na gwneud, tydi?

1 Chwefror

Mae o'n fwy. Ro'n i mor desbret, mi fues i'n sticio nodwydd ynddo fo heno, a gwasgu'r stwff allan. Ond mae o'n brifo'n waeth rŵan. Ges i lond pen gan Mam.

"Sbia golwg arno fo! Faint o weithia sydd raid i mi ddeud wrthat ti? Gad lonydd iddo fo! Dyna be ti'n gael am boeni gormod am y ffordd ti'n edrych; tasat ti jest wedi gadael iddo fo redeg ei gwrs yn lle ffidlan efo fo, mi fysa'n well erbyn fory neu drennydd, ond mi fydd hwn gen ti am o leia wsnos rŵan yn bydd? Y lembo gwirion ..."

Wnes i'm deud gair am ei hobsesiwn hi am y ffordd mae'n edrych. Ond ro'n i isio. Mae hi hyd yn oed wedi dechra gwisgo hipstars a chrysau mor fyr nes bod ei botwm bol hi'n golwg. Mae hi reit siapus am ei hoed, ond mae hyn yn hurt. Mi fydd hi 'di rhoi styd yn ei bali botwm bol nesa.

2 Chwefror

Mae o deirgwaith y maint oedd o ddoe. Mae hyd yn oed Dad wedi sylwi arno fo.

"Dow. Ti 'di bod yn paffio dwa?"

Hy. Mae gan bawb ofn dod o fewn hyd braich i mi, heb sôn am baffio. Ac er bod Tels yn dal i nghyfarfod i bob egwyl, dwi bron yn siŵr ei bod hi'n embarasd o fod yn fy nghwmni i. Dwi'm yn ei beio hi. Dwi'n embarasd o fod yn fy nghwmni fy hun. Mae Jason wrth ei fodd. Frankenstein mae o'n fy ngalw i rŵan. Doniol iawn. Jest ysgwyd ei ben efo hanner gwên mae Mosh. Dim ond Sian Tal sy'n iawn efo fi – mae hi hyd yn oed wedi rhoi tiwb o rwbath i mi.

"Wy'n deall shwd ti'n teimlo, achos wy'n eu cael nhw 'fyd, pan wy wedi blino neu'n stressed am rywbeth."

"Ond dwi'm yn stressed ... "

"Os ti'n gweud. Ond ma nhw'n teimlo'n waeth na ma nhw'n edrych, wir nawr. So ti'n edrych mor ffôl â 'ny."

Chwarae teg iddi. 'Swn i licio tasa gen i chwaer fel Sian Tal. Mae hi'n sorted.

3 Chwefror

Ymarfer band chwyth a Penbwl heno, ac roedd chwarae'r sacs yn fflipin poenus. Ac ro'n i'n chwarae fatha mochyn. Doedd Mr Whitby ddim yn rhy gas am y peth. Roedd o'n gallu gweld mod i methu cau ngwefusau'n iawn am y reed. Ond roedd hi'n stori wahanol efo Penbwl.

Jason: "Beth yffach ŷt ti'n treial 'i neud, gwed? Dynwared gŵydd?"

Mosh: "Arteithiol, gog. Arteithiol."

Tels: "Sion, os nag ŷt ti'n gallu ware fe'n iawn, falle bydde fe'n syniad i ti jest eistedd hon mas."

Jim Bob: "Jeez! Can't you just mime or something?"

Y diawliad.

Ges i gwtsh gan Tels wedyn, ond doedd 'na fawr o deimlad ynddi. Mae ganddi gymaint o ofn i ngwefus i ei chyffwrdd hi, ond ddalith hi ddim byd jest wrth roi cwtsh i mi, na wneith? Fysa hi byth yn gneud nyrs.

Ro'n i wedi meddwl chwarae nghaneuon iddyn nhw – efo'r gitâr. Ond doedd gen i'm mynadd gwneud. A soniodd Tels ddim byd chwaith.

Roedd hi'n 11.20 arna i'n cyrraedd adra. Roedd Dad wedi mynd i'w wely, ond roedd Mam yn dal ar ei thraed, efo face pack ar ei hwyneb.

"Sion," meddai hi, "dwi'm yn ddwl 'sti, dwi'n gwbod dy fod ti ddim yn chwarae efo'r band chwyth 'na mor hwyr â hyn. Ble ti 'di bod? Efo Teleri?"

"Ia." Wel? Roedd o'n wir doedd?

"Ond mor hwyr â hyn? Lle dach chi'n mynd?"

"Nunlla."

"Paid â bod yn wirion! Dach chi'n rwla tydach!"

"Jest o gwmpas."

"O? Wel, wnaiff hyn mo'r tro, Sion. O hyn allan, rhaid i ti fod adra erbyn 10.30 bob nos."

"Be?!"

"Iawn, ar benwythnos gei di ddod adra erbyn 11.30, ond ganol wythnos, dim eiliad yn hwyrach na 10.30, ti'n dallt?"

"Ond Mam! Be os dwi mewn gig yn rwla filltiroedd i ffwrdd ar nos Sadwrn? Fedra i'm dod adra erbyn 11.30 siŵr!"

"Y? Pam fysat ti isio mynd filltiroedd i ffwrdd am un o'r petha 'gigs' 'ma?"

Wps.

"Ym ... dwn i'm. Mae 'na fysys yn mynd weithia ... "

"Sion ...? Fi ydi dy fam di, cofia. Dwi'n gallu deud pan ti'n deud celwydd ... " Mae hynna mor wir. Mae hi wastad wedi gallu deud. Ro'n i'n teimlo fy hun yn cochi. "Sion? Wyt ti ar ddrygs?"

"Be? Peidiwch â bod yn wirion!"

"Be ti'n neud bob nos Lun a nos Fercher ta?"

Felly mi wnes i ddeud wrthi, ar yr amod ei bod hi ddim yn deud wrth Dad. Ond wedyn roedd hi isio gwbod sut griw oedd yn y band, a sut foi oedd y rheolwr 'ma. "Ydyn nhw ar ddrygs?"

"Ma-am!"

Ond doedd 'na'm perswadio arni. Felly mae hi'n mynnu dod i'r ymarfer efo fi nos Fercher. Mae hyn yn mynd i fod *mor* embarasing.

5 Chwefror

Doedd o ddim yn rhy ddrwg wedi'r cwbwl. Roedd hi'n meddwl ein bod ni'n grêt, ac roedd hi'n nabod Jim Bob yn barod – maen nhw yn yr un dosbarth yoga os gweli di'n dda. A do'n i'm yn chwarae fatha mochyn tro 'ma – mae'r dolur yn gwella'n ara bach. Mi ga i swsian efo Tels eto cyn bo hir. Fyswn i'm wedi cael cyfle heno beth bynnag, gan fod Mam efo fi. Ond fi oedd yn gorfod swnian ar honno i ddod adra, gan ei bod hi a Jim Bob yn dal i giglan a mwydro – am eu posishyns yoga am wn i.

7 Chwefror

Mae'r dolur annwyd wedi mynd, fwy neu lai, diolch byth. Dwi'n dechra teimlo fatha bod dynol eto. Mi ofynnais i Tels oedd hi isio dod allan efo fi heno, ond mae hi'n mynd i briodas yn Birmingham am y penwythnos. O wel.

Bwrw glaw fel dwn-i'm-be drwy'r dydd.

8 Chwefror

Nos Sadwrn, a dwi adra'n gwylio'r bocs efo Dad. Mae Mam wedi mynd allan efo Merched y Wawr neu'r WI neu rwbath. Ac mae hi'n dal i dywallt y glaw.

Dwi ar goll heb Tels. Mi wnes i ystyried rhoi galwad i Mosh neu Ashley, i ofyn a oeddan nhw ffansi dod allan i neud rwbath, ond doedd gen i mo'r wyneb yn diwedd. Mi fyddai braidd yn amlwg mai dim ond eu defnyddio nhw am fod Tels ddim o gwmpas fyddwn i.

Chawson ni'm hyd yn oed gêm rygbi heddiw. Wedi ei gohirio oherwydd y tywydd. Felly chwarae'r sacs fues i drwy'r pnawn, a mynd dros fy nghaneuon i. Maen nhw'n swnio reit dda, rhaid i mi ddeud.

10 Chwefror

Ges i'r gyts i gynnig fy nghaneuon heno, ac oeddan, roeddan nhw isio'u clywed nhw. Felly mi wnes i eu canu nhw, a chyfeilio efo'r gitâr. Ro'n i'n nerfus uffernol. Roedd o fel mynd drwy'r clyweliad 'na eto, ond yn waeth. Roedd gen i gymaint o ofn iddyn nhw chwerthin am fy mhen i. Er, dwi'n gwbod na fydden nhw'n gwneud hynny, ddim yn fy ngwyneb i o leia. Wel, ella y byddai Jason yn gwneud. Ond nath o ddim. Ddeudodd o'm gair allan o'i ben. Roedd gen i ofn iddyn nhw fod yn embarasd drosta i hefyd, a jest nodio a deud "M. Neis. Reit, lle roeddan ni?" Ond wnaethon nhw ddim. Roeddan nhw'n licio nhw. Ges i wên gan Tels oedd yn ddigon i doddi'r Antartic, a sws ar fy moch. Roedd y lleill wrth eu boddau hefyd – yn enwedig Jim Bob.

"Love it, love it. Iawn, beth am i ni geisio eu dysgu nhw heno a nos Fercher, yn barod ar gyfer y gig? Chi'n gêm?"

Cytunodd pawb, chwarae teg, ac yna, pesychodd Jason.

"Ym, wy wedi bod yn sgriblo tamed bach hefyd." Trodd pawb ato.

"Beth? Cân wreiddiol arall? Chi wedi bod yn brysur, bois!" chwarddodd Jim Bob. "Dere i ni ei chlywed hi 'te."

Felly dechreuodd Jason chwarae. A chanu.

"Wwwww yeah yeah ... wwwwwww, yeah yeah ... O, mae bywyd mor greulon, yeah, mae bywyd mor ofnadwy o greulon, creulon, creulon, yeah ... wwwww, yeah ... bomiau a llofruddiaethau, yeah ... glaw asid a fforestydd yn marw, yeah, yn marw, yeah, wwwww, mae'r peth mor arw, yeah ... rili garw, yeah ... "

Ac aeth yr "wwws" a'r "yeahs" ymlaen am bum munud arall. Doedd y diwn fawr gwell. Gorffennodd efo cord isel, dramatig. Ac roedd y tawelwch yn fyddarol. Roedd y gân yn erchyll. Diflas, di-batrwm, di-ddim-byd. Trodd pawb at Jim Bob. Edrychodd hwnnw ar ei draed, ac yna ar y nenfwd.

"M. Neis," medda fo yn y diwedd, a llyncu. "Ond wy'n credu bod angen tamed bach mwy o waith arni."

"Pa ran?" gofynnodd Jason.

"Wel ... yr, ym ... y gytgan ... a rhai o'r penillion falle?"

"Pa rai?"

"Wel ... gwranda, allet ti roi copi i mi, wedyn bydden ni'n gallu mynd drosti ddi nes mla'n ... neu rywbeth?"

Gwgodd Jason, a nodio'n araf. Yna gafaelodd yn ei gopi. Roedd o ar fin ei roi i Jim Bob, ond newidiodd ei feddwl yn sydyn, a gwasgu'r darn papur yn belen, a'i daflu dros ein pennau.

"So chi lico hi, ych chi? Chi'n meddwl bod hi'n llwyth o gachu on'dych chi?"

"Na, mae potensial iddi," cychwynnodd Jim Bob, ond torrodd Jason ar ei draws.

"Peidwch boddran," chwyrnodd, "sgwenna i un arall, sdim ots. Os nag ych chi'n gallu gwerthfawrogi cân o sylwedd, nage mhroblem i yw hynny. Dewch mla'n … ni wedi gwastraffu digon o amser yn barod."

A dechreuodd blwgio ei gitâr i mewn, ac esgus ei thiwnio. Edrychodd pawb arall ar ei gilydd. Roedden ni'n fwy embarasd na fo. Ac ro'n i isio marw. Ond … os dwi'n gwbwl onest efo fi fy hun, ro'n i'n gwenu chydig bach tu mewn. Roedden nhw licio nghaneuon i, wedi'r cwbwl. A fedar pawb byth lwyddo ymhob dim.

Roedd y ffaith fod Tels mor falch ohona i yn deimlad braf hefyd. Chawson ni fawr o gyfle i fod ar ben ein hunain heno, ond fel y dywedodd hi, does 'na'm brys nagoes? Ac mae'n gneud synnwyr i ni fod yn gwbwl, berffaith siŵr, fod fy nolur annwyd i wedi mynd. Wedi'r cwbwl, mi fydda'n beth ofnadwy tasa'n prif leisydd ni efo gwefus fel chwadan yn bydda?

Roedd Mam yn syrffio'r We ar fy nghyfrifiadur i pan ddois i'n ôl. Cheeks. A lle ddysgodd hi sut i wneud hynny leciwn i wybod? Ond wnes i'm holi gormod arni rhag ofn iddi hi ddechra areithio mod i adra mor hwyr eto. Calla dawo meddan nhw.

13 Chwefror

Rydan ni wedi bod yn ymarfer fel ffyliaid, ac mae nghaneuon i'n swnio'n rhyfeddol o dda. Mae Mosh wedi codi'r tempo ar un, ac mae Sian Tal wedi ffendio bass line ddifyr ar gyfer y ddwy. Ac mae Tels yn eu canu nhw'n berffaith, wrth gwrs. Tydi Jason ddim wedi trio rhoi unawd iddo fo'i hun arnyn nhw am unwaith chwaith.

O ia, mae o wedi'n gwadd ni draw nos fory. Mae ei rieni o'n mynd i Baris am benwythnos, felly mae'r tŷ'n wag eto. Nid parti fydd o medda fo, jest rwbath bach i'r band cyn y gig nos Sadwrn.

Ro'n i'n hwyr yn cyrraedd adra eto heno, ond doedd 'na'm golwg o Mam. Ond dwi bron yn siŵr i mi glywed y drws yn cau lawr grisia rŵan. Gwersi yoga wedi mynd yn betha hwyr tydyn? Ond aros funud – ddoe oedd y wers yoga. Merched y Wawr oedd heno, ac mae'r cyfarfodydd hynny wedi gorffen erbyn 9.30 fel arfer. Ac mae ganddi'r cheeks i fynnu mod i'n dod adra'n gynnar!

14 Chwefror

Mi ddylwn i fod wedi amau bore 'ma fod heddiw'n mynd i fod yn ddiwrnod rhyfedd. Roedd o'n od o'r cychwyn cynta. Roedd Mam wedi gneud homar o frecwast yn un peth – bacwn, wy, madarch, y trimings i gyd. Fel arfer, jest berwi tecell neith hi – os 'dan ni'n lwcus. Tydi hi'm yn ddynes bore. Blin fel tincar tan un ar ddeg a bod yn onest. Ond heddiw, roedd hi'n gwenu fel giât wrth dorri'r bara, yn hymian canu wrth ffrio'r wyau, ac roedd ei llygaid hi'n sgleinio fel marblis newydd sbon. Ges i hyd yn oed sws ganddi – ar fy nhalcen. A tydi hi'm wedi meiddio trio rhoi sws i mi ers blynyddoedd, ddim ers i mi gael stremp efo hi ar ôl y cyngerdd Dolig pan o'n i'n Joseff, a tua saith o'n i bryd hynny. Roedd hyd yn oed Dad yn sbio'n wirion arni (bore 'ma, ddim pan o'n i'n saith).

"Dow, be 'di hyn?" gofynnodd wrth iddi roi llond plât o galorïau o'i flaen o. "'Di'n ben-blwydd ar rywun?"

"Na, jest ... ges i'r awydd," meddai hi. "Pam? Ti'n cwyno?"

"Ddim o gwbwl!" Do'n inna ddim chwaith. Roedd o'n blydi lyfli.

Ond doedd heno ddim. Mi ddechreuodd reit dda, pizzas a sglodion a digon o hwyl ar bawb. Ac er fod Jason yn flin efo Lara am ddod â llwyth o ffrindiau draw, roedd o'n eitha parod i fflyrtio efo'r Cotton Buds.

"Hei, babes, p'un ohonoch chi sy'n teimlo'n lwcus heno?"

"Gigyl gigyl ... " Asu, maen nhw'n dwp.

Doedd Jim Bob ddim wedi gallu dod.

"Prior engagement," eglurodd Mosh.

"Welon ni fe yn y caffi," meddai Sian Tal, "ac o'dd e'n edrych yn eitha smart – jîns glân."

"Ac wedi golchi'r mwng 'na sy 'da fe am unweth," meddai Mosh. "Dêt. Garantîd. Bryd iddo fe ddod mas 'fyd."

"Ond ma fe mas yn eitha aml," meddai Sian Tal.

"Nage'r wombat. Dod mas – mas."

"Mas o beth?"

"Ambytu ei rywioldeb, fenyw!"

"O, Mosh!" ebychodd Sian Tal a Tels fel un. "So fe'n

hoyw!" Ond roedd Mosh yn dal yn daer ei fod o.

Mi fu Tels a Sian Tal yn trio nysgu i sut i ddawnsio wedyn, ond chwerthin am fy mhen i fuo nhw'r rhan fwya o'r amser. Ond do'n i'm yn poeni. Dwi'n eu nabod nhw'n ddigon da rŵan i wybod nad chwerthin cas oedd o. Wedyn mi ofynnodd Lara i ni chwarae cân neu ddwy.

"O ie," cytunodd Sian Tal yn syth, "beth am un o ganeuon newydd Sion?"

"Beth?" holodd Lara, "ti 'di cyfansoddi caneuon dy hunan?"

"Ody," meddai Sian Tal cyn i mi fedru agor fy ngheg, "a ma nhw'n sbot on."

"O, lysh! Dere weld 'te!" meddai Lara, wedi cynhyrfu drwyddi. "Hei, ferched, mae Sion wedi sgwennu caneuon i Penbwl! Ni moyn clywed nhw on'dyn ni?"

"O, odyn! Lyyyysh!" meddai'r Cotton Buds, gan dynnu eu hunain allan o afael Jason a dod yn syth amdana i.

Doedd gynnon ni ddim dewis. Roeddan ni'n gorfod chwarae. Wrth gwrs, roeddan ni wedi dod â'n hofferynnau efo ni – bongos gan Mosh, gan fod gosod y cit drymiau'n gymaint o straffîg. Ar ôl llwyddo i lusgo fy hun o afael Lara a'r Cotton Buds, es i i chwilio am fy sacs.

"Co ti," meddai Jason, a rhoi cês fy sacs i mi wrth fy mhasio yn y drws. Chwarae teg iddo fo, yn mynd i drafferth i'w nôl o i mi. Es i at y lleill, oedd wedi gosod eu hunain ar wahanol stolion o gwmpas y lolfa anferth. Ond pan dynnais i'r sacs allan, doedd 'na'm golwg o'r reed. A fedri di ddim chwarae heb y reed. Mi fues i'n chwilio ymhobman, ond doedd 'na'm golwg ohono fo, ac ro'n i'n dechra gwylltio.

"O wel," meddai Jason, "mae 'da ni tamborîn yn rhywle os ti moyn." Ro'n i ar fin deud wrtho fo lle i stwffio'i blydi tamborîn, pan ddwedodd Sian Tal ei bod hitha methu dod o hyd i'w phlectrum. "Falle bod e'n dal yn y gegin," meddai hi wrtha i. "O'n i wedi'i roi e ar ben y meicrodon. Fyddet ti ddim yn gariad a'i nôl e i fi?" Be? Ro'n i ar fin deud wrthi hitha lle i stwffio'i phlectrum pan sylwais i ei bod hi'n sbio'n rhyfedd arna i, yn fflachio'i llygaid fel tase ganddi rwbath yn un ohonyn nhw. Felly mi es draw i'r gegin. Doedd 'na'm byd ar ben y meicrodon. Efallai ei fod o wedi disgyn y tu ôl iddo fo, felly mi symudais y meicrodon i chwilio. A be oedd yno ynghanol y llwch – ond fy reed i. Be goblyn oedd yn mynd ymlaen yma? Es i'n ôl i'r lolfa, a dyna lle roedd Sian Tal yn strymio'n braf efo'i phlectrum.

"Sori – o'dd e'n fy mhoced i drwy'r amser," gwenodd yn ddiniwed. Ond do'n i ddim yn gwenu. Daliais fy reed i fyny iddi gael gweld.

"A chdi guddiodd hwn mae'n siŵr. Doniol iawn, Sian Tal. Plentynnaidd a phathetic hefyd. Tyfa fyny nei di!" Aeth hi'n welw.

"Hei, gan bwyll nawr," gwylltiodd Mosh, "sdim angen i ti siarad fel'na 'da 'i."

"Oes, tad. Oedd o'n beth hollol dwp i'w neud, doedd? Ac mae'n hen bryd i'r het gallio a byw ar yr un blaned â phawb arall."

A dyma'r het yn dechra crio. Anferth o ddagrau mawr tew yn powlio i lawr ei bochau hi.

"Sbia! Typical hogan," medda fi, wedi gwylltio mwy rŵan, "crio er mwyn trio dod allan o dwll … "

"Oi!" protestiodd Mosh.

"Sion?!" meddai Tels mewn braw.

"Nage fi nath!" ffrwydrodd Sian Tal, "o'n i'n treial gweud wrthot ti lle o'dd e er mwyn osgoi scene – a nawr fi sy'n cael y bai! Stwffo ti a dy @%&*!? reed!"

"O, rho'r gora i dy sterics," medda fi'n ddideimlad, "ti fatha hogan fach bump oed ... 'nage fi nath' wir!"

"Ond nage fi nath!" gwaeddodd hi eto.

"Pwy ta?"

"Fe! Weles i fe!" Roedd hi'n pwyntio at Jason, oedd wedi bod yn dawel iawn yn ystod hyn i gyd. Trodd pawb i sbio arno. Codi'i ysgwyddau wnaeth o.

"Ie. So?" gofynnodd, "dim ond jôc fach. Sda ti ddim sens o hiwmor nagoes e, Gog?"

"Be? Doedd o'm yn ddoniol!"

"A dodd gadael i Sian Tal gal y bai ddim yn ddoniol o gwbwl!" ychwanegodd Tels.

"O, 'na fe, saf di lan dros dy sboner," chwyrnodd Jason, "so lover boy yn gallu neud dim byd o'i le, ody e?"

"Be ydi dy broblam di?" gofynnais, yn dal i ferwi.

"Ti!" meddai Jason, gan boeri yn fy wyneb i. Wel, roedd hynna'n ormod i mi, doedd? Mi daflais fy hun tuag ato fo nes oeddan ni'n dau'n glep ar y llawr llechi. Rois i swadan yn ei drwyn o, ac un arall i'w lygad chwith o. Ond mae o'n foi caled a thipyn trymach na fi, a ges i ddwrn yn fy ngheg a phen-glin yn fy stumog yn ôl. Mwya roedd o'n fy waldio i, mwya ro'n i'n gwylltio. Ro'n i isio'i ladd o. Ro'n i'n gallu clywed y genod yn sgrechian a'r dodrefn yn chwalu o'n cwmpas ni, ond allwn i ddim stopio. Dwi'n cofio clywed Teleri yn sgrechian arna i i adael llonydd i Jason, a ngalw i'n bob dim dan haul. Roedd hynna'n fy ngwylltio i'n waeth. Yna, roedd o wedi fy nhroi ar fy nghefn, ac roedd ei ddwylo'n dynn am fy ngwddw. Ro'n i'n trio ei ysgwyd i ffwrdd, ei gicio, rhwygo ei ddwylo oddi arna i, brathu ei arddyrnau, ond roedd ei afael o'n tynhau, ac ro'n i'n dechrau tagu. Yn sydyn, ro'n i'n rhydd eto, a phan lwyddes i i godi mhen (poenus), ro'n i'n gallu gweld fod Mosh wedi llusgo Jason oddi arna i ac wedi'i roi o mewn headlock. Roedd hwnnw'n dal i fytheirio a gwingo, a'i wyneb yn fflamgoch dan gesail Mosh, ond doedd o ddim yn gallu symud. Do'n inna ddim chwaith. Roedd pob darn ohona i'n sgrechian.

Dwi'n dal ddim yn siŵr pam fod hynna wedi digwydd, dwi'm yn siŵr os oedd unrhyw un. Mi wnes i drio holi Sian Tal tra oedd hi'n glanhau'r gwaed oddi arna i, ond roedd hi'n dawedog iawn.

"Yli," medda fi wedyn, "do'n i'm yn trio bod yn gas efo chdi. Jest wedi gwylltio o'n i, a — "

"Gad e," meddai hi ar fy nhraws, "sdim ots." Ond doedd hynny'n amlwg ddim yn wir yn ôl ei llygaid coch hi.

Mi nath Mosh fynnu bod Jason a finna'n ysgwyd llaw cyn i ni fynd adra. Ro'n i'n ddigon bodlon, ac mi wnes i ddal fy llaw allan.

"As if ... " chwyrnodd Jason. Felly dyma Mosh yn rhoi tro ciaidd i'w fraich o tu ôl i'w gefn. "Awwwww!!! Iawn! Oreit! Oreit!" Ac mi ysgydwodd fy llaw i, ond heb sbio yn fy llygaid i. A mynd 'nôl mewn i'r tŷ a chau'r drws ar ei ôl.

"Cachwr," poerodd Mosh yn dawel, a throi am y tacsi oedd yn disgwyl amdanon ni.

"Gwranda," cychwynnais i, "diolch i ti am — "

"Paid ti â mentro diolch i fi," meddai'n araf, "fuest ti'n fwlsyn o'r radd flaena 'fyd. Achosi ffwdan mas o ddim byd fel'na. Prat." Ac i ffwrdd â fo. Roedd Sian Tal eisoes yn y sedd flaen, a Teleri yn y sedd gefn, felly mi eisteddodd Mosh a finna bob ochor iddi. Nes i drio gafael yn ei llaw hi, ond mi dynnodd ei llaw i ffwrdd fel taswn i'n wenwyn. A ddywedodd neb yr un gair yr holl ffordd adra.

A rŵan dwi'n ôl yn fy llofft. Dwi newydd edrych yn y

drych a dwi'n meddwl y bydd gen i lygad ddu erbyn fory. Ac mae nwrn dde i'n uffernol o boenus. Mae'r gig 'ma i fod nos fory, ond duw a ŵyr fydd o'n dal ymlaen ar ôl heno. A dwi'm yn dallt be sy'n digwydd rhyngof fi a Teleri chwaith. O'n i'n meddwl fod genod fod i gefnogi eu cariadon mewn achosion fel'na, ond y ffordd nath hi nhrin i, sa ti'n taeru mai Jason oedd ei chariad hi, ac mai fy mai oedd o i gyd. A ble roedd hi pan oedd Sian Tal yn trin fy nghlwyfau i, y? Stwffio'r fuwch. Sa'm ots gen i taswn i byth yn ei gweld hi eto.

Amser cinio, 15 Chwefror

Dwi newydd ddarllen y dyddiadur 'ma, a dwi wedi cael sioc ar fy nhin. Dwi'n ffŵl hunanol, hunangyfiawn, dall. A finna'n meddwl mod i mor blincin perffaith. Dwi wedi bod mor dan-din efo Ashley druan, mae gen i gywilydd. A fi oedd yn hen fabi neithiwr. A does gan Teleri (fues i 'rioed yn ei galw hi'n Tels? Piwc ...) ddim diddordeb ynof fi go iawn, nagoes? Ella bod ganddi ar y dechra, ond buan iawn y newidiodd hi ei meddwl. Am mod i'n ei galw hi'n Tels ma' siŵr. Ac yn ei dilyn hi o gwmpas y lle fel llo. Ac erbyn meddwl, barodd Ceri Hughes a finna fawr mwy nag ychydig wsnosa chwaith. Mae'n rhaid mod i'n foi uffernol o boring. Neu'n snogiwr sâl. Neu'r ddau.

Dwi'm isio gneud y gig 'ma. Dwi'm isio byw fan'ma chwaith. Dwi isio mynd 'nôl i'r gogledd at yr hogia. Ond cha i ddim – ddim nes mod i'n mynd i'r coleg o leia – a welan nhw mo lliw fy nhin i fan hyn wedyn. A dwi byth yn mynd i ddilyn hogan fatha llo eto chwaith. O hyn allan, mi fydda i'n eu trin nhw fel baw. Dyna maen nhw isio wedi'r cwbwl yndê? Does 'na'm cân am yr union beth? "Dyw merched ddim yn licio hogia da?" 'Na fo. Mae'n ffaith. Sion Coc-oen fydda i o hyn allan, ond am resymau gwahanol.

3.00 y.h.

Sian Tal newydd ffonio. Mae'r gig yn dal ymlaen a maen nhw'n dod heibio am chwech. Grêt. Fedra i'm disgwyl. Ond roedd Sian Tal yn swnio reit hapus, fel tasa neithiwr 'rioed wedi digwydd.

"Hei, ti moyn clywed jôc?" meddai hi, fel ro'n i'n rhoi'r ffôn i lawr.

"Nagoes."

"Tyff. Wy'n mynd i'w gweud hi ta beth. Ma Paddy a Murphy'n mynd am dro, a ma Paddy yn disgyn lawr twll. 'Ody hi'n dywyll lawr 'na?' mae Murphy'n gofyn. 'Sai'n gwbod,' medd Paddy, 'sai'n gallu gweld dim.'"

Ro'n i'n gorfod chwerthin, er gwaetha fy hun.

"'Na fe, ti'n gweld," meddai Sian Tal, "mae sense of humour 'da ti wedi'r cyfan."

Ngenath i.

"Diolch, Sian Tal. A ... mae'n ddrwg gen i am neithiwr. Wir yr rŵan. Dwi'n teimlo'n gymaint o ben rwdan. A chditha'n trio helpu fi ... "

"Ie, wel, ni gyd yn Paddys weithie t'wel. Wela i di heno. Ta ra."

A dwi'n teimlo'n well rŵan.

Ond dwi'n dal ddim isio gneud y bali gig 'ma. Mae gen i deimlad yn fy stumog bod 'na rwbath yn mynd i fynd o'i le.

16 Chwefror

Ro'n i'n iawn. Ond wnes i rioed ddychmygu y byddai hyn wedi digwydd chwaith. Dwi'n teimlo'n wag, fel zombie. Dwi isio pinsio fy hun bob munud, rhag ofn mai hunlle ydi o i gyd. Ond mae'r pinsiadau'n brifo.

Roedd y gig yn drychinebus. Doedd 'na fawr o neb yno i ddechra, gan fod pawb fel sardîns yn y dafarn drws nesa, yn trio tywallt hynny fedren nhw o lysh i lawr eu corn gyddfa er mwyn cael y gyts i fachu erbyn diwedd y nos. Roeddan ni'n chwarae reit dda bryd hynny, Mosh a Sian Tal yn dynn fel gliw, Jason yn canolbwyntio hynny fedra fo, a Teleri wedi ymlacio'n braf. Roedd yr hanner dwsin oedd yno yn meddwl ein bod ni'n wych, a Jim Bob wrth ei fodd. Ond wedyn mi gaeodd y bar drws nesa, ac mi ddechreuodd y meddwon heidio i mewn, yn gweiddi a baglu dros ei gilydd. Roedd 'na dîm darts merched yno hefyd, llwyth o bethau mawr chwil yn eu pedwardegau a'u pumdegau. Dwi'n siŵr mai un o'r rheiny daflodd y botel gynta. Ond ella mai un o'r dynion nath, alla i ddim bod yn siŵr. Mi hedfanodd heibio pen Teleri beth bynnag, a'i dychryn hi ddigon i wneud iddi stopio canu. Ond ar ôl sbio ar ein gilydd, ac ar Jim Bob, mi benderfynon ni drio dal ati, gan obeithio'r gorau. Ond roedd y dorf wedi dechra heclo. Doeddan nhw ddim yn licio reggae. Felly mi wnaethon ni drio 'Let Me Entertain You', ond doeddan nhw ddim yn meddwl llawer o Robbie Williams chwaith.

"So chi'n gallu canu rywbeth gan Barry Manilow?" sgrechiodd un o'r merched darts.

"O, piss off!" gwaeddodd Mosh. Mi sgrechiodd hi'n

uwch wedyn yndo. Mi wnaethon ni drio ei hanwybyddu hi, ond cyn i ni droi rownd, roedd hi wedi dringo ar y llwyfan, ac yn trio dwyn stics Mosh oddi arno fo, ac ynta'n gwneud ei orau i beidio rhegi mwy arni – ond yn methu. Daeth Jim Bob draw a cheisio ei darbwyllo i adael llonydd iddo fo, ond roedd hi'n benderfynol. Mi afaelodd Jim Bob yn ei braich hi er mwyn ceisio ei thynnu am yr ochor, ond mi roddodd hi waedd o brotest a'i waldio dros ei ben efo'i bag llaw. Aeth o i lawr fel sach o datws. Wedyn mi ddoth ei ffrindiau hi i fyny mewn un haid i'w 'hachub' hi. Mi faglodd un yn erbyn y meic, ac mi grashodd hwnnw i mewn i geg Teleri, nes roedd ei gwefus hi'n piso gwaedu. Dyna pryd ffrwydrodd Mosh, a dechrau taflu'i ddrymiau o gwmpas y lle. Dwi'n meddwl mai trio mynd i achub Teleri roedd o, ond roedd y dorf yn meddwl mai ffustio'r hen ferched 'ma roedd o, eu mamau nhw mae'n siŵr, felly cyn i ni droi rownd, roedd 'na fechgyn ar y llwyfan hefyd, yn trio waldio Mosh, Jason, fi, Jim Bob, pawb.

Mi fyddai'n gas gen i feddwl sut stad fyddai arnon ni tasa'r trefnwyr heb lwyddo i dawelu petha. Wel, taflu'r idiots oddi ar y llwyfan ta. A doedd petha ddim yn dawel wedyn chwaith; roedd y dorf yn symud fel môr oddi tanon ni, ond o leia roedd y ffustio'n digwydd lawr fan'na, ac roedd y llwyfan yn glir i ni hel ein petha a'i bachu hi o'na.

Roeddan ni'n ôl yn y fan fel roedd y ceir heddlu'n cyrraedd. Mi gafodd Jim Bob air efo nhw, yna neidio mewn i flaen y fan at Teleri.

"Ocê Jason, hit it," meddai'n flin, a gyrrodd Jason i ffwrdd fel Ayrton Senna, yn rhegi dan ei wynt.

Roedden ni i gyd mewn gormod o sioc i siarad am sbel. Ond yna, pan gyrhaeddodd Jason y ffordd fawr, agorodd y llifddorau. Jason ddechreuodd:

"Beth yffach oedd hynna, Jim Bob, y? Nest ti checo sut le o'dd e cyn bwco nhw, do fe?"

"Wrth gwrs! A slowa lawr ... sai'n gallu ffindo'r gwregys diogelwch ... "

"Nest ti ddim poeni llawer am ddiogelwch ma'na ... " chwyrnodd Mosh.

"O, mai i yw e i gyd yfe?" gwylltiodd Jim Bob. "Shwd o'n i fod i wybod y bydde'r merched darts yn gatecrasho, hy?"

"Galw dy hun yn reolwr ... " meddai Jason, gan sgrialu rownd cornel.

"'Ma fe ... " meddai Teleri yn dawel, gan estyn bwcwl i Jim Bob, "fi oedd wedi cymryd dy fwcwl di ... "

"Nage fi wedodd wrth y fenyw i 'piss off'!" protestiodd Jim Bob, yn dal i frwydro efo'i wregys.

"O, felly mai i yw e?" meddai Mosh.

"O hisht, sdim bai ar neb!" gwaeddodd Sian Tal. "A Jason, slowa lawr!"

"Paid ti â gweud wrtha i beth i neud!"

"Ma ngwefus i'n gwaedu 'to ... " cwynodd Teleri.

"Gad fi weld, bach," meddai Mosh gan estyn drosodd efo hances.

"Paid ti â gweiddi arno i, Jason Wilcox!" gwaeddodd Sian Tal.

"Sai'n gallu ffindo mwcwl i nawr chwaith ... " cwynodd Teleri.

"Your big fat ass is on it, woman!" gwaeddodd Jim Bob.

"Oi! Ca dy ben, Yank!" ffrwydrodd Mosh.

"O, caewch eich cegau newch chi?" medda finna.

"Pwy ofynnodd i ti weud dim?!" gwaeddodd Jason, gan droi i wgu arna i.

A dyna pryd ddigwyddodd o. Y cwbwl dwi'n ei gofio'n iawn ydi'r sŵn teiars a lleisiau'n sgrechian, a'r offerynnau'n disgyn drostan ni. Mae'n rhaid mod inna wedi cael clec i mhen. Mae gen i glais ar fy nhalcen beth bynnag, drosta i i gyd a deud y gwir, ond ro'n i'n lwcus.

Sian Tal ffoniodd yr ambiwlans mae'n debyg. Mae hitha wedi brifo ei choes, ond dim byd difrifol. Hi a fi oedd y cynta i gael ein rhyddhau o Casualty.

"Sut mae'r lleill?" gofynnais.

"Mae Jason wedi torri'i drwyn ... "

"Fydd o'm yn hapus."

"– a'i arddwrn. Mae Mosh yn iawn; maen nhw jest yn glanhau cyts ar 'i ben e. Sai'n gwybod ambytu Teleri na Jim Bob, ond o'n nhw'n edrych yn wael on'd o'n nhw?"

"Oedden? Dwi'm yn cofio ... "

Dechreuodd Sian Tal grio'n dawel.

"Jim Bob ffindes i gynta ... ro'dd ei wyneb e'n waed i gyd, ac o'dd e'n anymwybodol. Ro'dd Jason yn sgrechian wrth yr olwyn, felly o'n i'n gwbod ei fod e'n oreit, ond o'n i methu ffindo Teleri. O'dd hi wedi mynd drwy'r windscreen. Gwydr dros y lle i gyd. Mosh ffindodd hi ... o'dd golwg ofnadw arni ddi, a do'dd hi ddim yn anadlu ..." Dechreuodd grio go iawn rŵan, ac mi wnes i afael yn dynn ynddi.

"Ydi hi ... ?"

"Sai'n gwybod ... driodd Mosh roi'r kiss of life iddi, a ffonies i'r ambiwlans ... wedyn daeth car o rywle ... a wy'n credu bo fi wedi llewygu wedi 'ny. Wy'n credu bod y ddau yn intensive care ... "

Trodd y ddau ohonon ni i gyfeiriad sŵn gweiddi wrth y drws. Roedd ein rhieni ni wedi cyrraedd. Roedd Mam yn crio fel babi, a phan welodd hi fi, mi fu'n fy nghofleidio mor galed, roedd o'n brifo.

"O Sion, ti'n iawn? Ti'n siŵr? Ro'n i jest â mynd allan o mhen dwi byth isio galwad ffôn fel'na eto paid ti byth â gneud ffasiwn beth eto dallta ti'n siŵr bo ti'n iawn? Be 'di hwnna ar dy dalcen di? Concussion? Ond pam bo chdi ar dy draed ta? Ti fod mewn ward fedran nhw'm jest gadael i chdi fynd fel'na a fiw i ni adael i chdi gysgu! Nyrs! Nyrs!" Ac i ffwrdd â hi i fwydro pen y nyrs gan fy ngadael i efo Dad.

"Ti'n iawn, felly?" medda fo'n dawel.

"Yndw." Ro'n i wedi deud hynny o leia hanner dwsin o weithia, ond roedd hi'n amlwg nad oedd o'n gwbod be arall i'w ddeud. "Ond dydi rhai o'r lleill ddim."

"Lleill? Efo pwy oeddat ti?"

"Y band."

"Pa fand? Y band chwyth?"

Ac mi fu'n rhaid i mi egluro am Penbwl. Ond doedd gen i fawr o fynadd. Ro'n i isio gwbod os oedd Teleri yn iawn – a Jim Bob. Daeth Mam yn ei hôl.

"Mae hi'n deud bod y doctor yn deud dy fod ti'n iawn ond alla i'm credu'r peth a mae hi'n deud ei bod hi'n iawn i adael i chdi gysgu ond rwtsh ydi hynny siŵr — "

"Gwenda," meddai Dad, "mi fydd o'n iawn. Rhai o'r lleill sydd wedi brifo."

"Pa lleill?"

"Y band 'ma."

"Penbwl?"

"Ia ... be? Oeddat ti'n gwbod?"

"O'n siŵr," meddai hi'n frysiog a throi ata i: "Sion? Oedd Jim Bob efo chi?"

"Oedd."

"Pwy ydi Jim Bob?" holodd Dad yn ddryslyd. Ond chymerodd Mam ddim sylw ohono.

"Ydi o'n iawn?"

"Dwi'm yn siŵr ... dwi'm yn meddwl ... fo a Teleri sydd waetha ... yn intensive care ... " Roedd 'na olwg ryfedd ar Mam. Roedd hi'n welw cynt, ond roedd hi'n waeth rŵan, fel tasa pob diferyn o waed wedi llifo allan ohoni.

"O na ... ddim Jim Bob ... " Ac mi drodd ar ei sawdl a rhedeg am ddrws efo arwydd 'Intensive Care' arno.

"Gwenda?" Roedd Dad druan wedi drysu'n llwyr, a doedd gen inna ddim clem be oedd yn mynd mlaen. Ond ro'n i'n dechra amau.

Awr yn ddiweddarach

Diolch byth. Ges i afael ar Sian Tal ar fy ffôn lôn yn y diwedd, ac mae hi'n deud bod Teleri wedi gadael y ward gofal dwys, a bod y doctoriaid yn deud y bydd hi'n iawn. Mae hi wedi torri ei phenglog, ei thrwyn, ei braich a dau ddant ond mae hi'n 'stable', fel maen nhw'n ddeud.

"Am faint fydd hi'n sbyty?" gofynnais.

"Anodd gweud medde Mosh, wythnose siŵr o fod."

"Mosh?"

"Ie, ma fe wedi aros 'na 'da hi. Fe a'i rhieni hi."

"O. Dwi'n gweld."

Ond do'n i ddim yn gweld o gwbwl. Mosh? Pam Mosh? Fi ddylai fod yno os unrhyw un. Ond ddwedais i ddim byd. Ac rŵan mae gen i gur pen. Effaith y tabledi lladd poen wedi darfod, mwn.

Dal dim golwg o Mam. Damia, anghofies i holi am Jim Bob.

6 Mawrth

Dwi ddim wedi bod yn y mŵd i sgwennu tan rŵan. Mae bob dim wedi chwalu braidd. Braidd? Understatement y flwyddyn.

Dwi ddim yn siŵr iawn lle i ddechra chwaith. Efo Mam am wn i. Mae'n debyg ei bod hi a Jim Bob wedi syrthio mewn cariad. Ia, Mam. A Jim Bob. Tasa fo ddim yn wir, mi fyswn i'n chwerthin. Ond mae o, a dwi ddim.

Mi gafodd o adael yr ysbyty ar ôl wythnos. Ar ôl iddyn nhw bwytho'i wyneb o'n ôl at ei gilydd, roedd o'n iawn. Golwg y diawl arno fo, ond roedd o rêl boi. Wel, mi fysa'n bysa? Ac mi nath hi symud i mewn ato fo, i'w fwthyn bach tywyll di-fòd-cons o, a fan'no mae hi rŵan. A fan'no mae hi am aros hefyd medda hi. Aeth Dad yn lloerig. Wedyn aeth o'n ddarnau. A rŵan mae o'n flin – efo hi, efo fo, efo hi – pawb. Ac mae byw efo fo'n uffern ar y ddaear. Ac mae o wedi gofyn am dransffer yn ôl i'r gogledd, ac mae o wedi cael un yn syth, mewn chwech wythnos a bod yn fanwl gywir. Felly dwi'n cael fy nymuniad: dwi'n cael mynd adra.

Ia, ond heb Mam.

Dwi'n casáu ei gyts hi am neud hyn i mi a Dad, ond ... dwi'n dal i'w cholli hi. Er ei bod hi wedi bod yn mynd ar fy nerfa i yr holl amsar, er ei bod hi'n mynnu codi cwilydd arna i o flaen fy ffrindia, er ei bod hi'n malu cachu, mwydro am blydi Miss Prestatyn a rhoi extensions yn ei gwallt, hi ydi'r unig fam sydd gen i. Ond fi ydi ei hunig fab hi hefyd, ac mae'n well ganddi gwmni hen hipi efo poni-têl. Grêt. Diolch yn fawr, Mam. Love you too.

Mae Teleri'n dal yn yr ysbyty, ond mae hi'n gwella'n rhyfeddol o sydyn. Mi ddyla hi fod adra erbyn diwedd yr wythnos meddan nhw. Dwi wedi bod draw i'w gweld hi gwpwl o weithia, ond mae Mosh wedi bod yno o mlaen i bob tro, yn ffysian drosti fatha hen nain. Plwmpio'i philows hi a ryw sioe. Y tro cynta i mi alw, roedd hi'n falch o ngweld i, ond ches i mo'r croeso ro'n i wedi bod yn breuddwydio amdano fo chwaith. Ro'n i wedi gobeithio y byddai hi'n crio wrth fy ngweld i'n cerdded i mewn efo bwnsiad anferthol o flodau, ac yn dal fy llaw i'n dynn ac yn deud cymaint roedd hi'n fy ngharu i, tra o'n i'n rhoi cusanau bach tyner iddi ac yn addo peidio gadael ei hochor hi byth eto. Ia, iawn, y math o beth dach chi'n ei weld mewn ffilm. Ond fethes i gael bwnsiad mawr (maen nhw'n uffernol o ddrud yn un peth – £25!) felly bwnsh o ddaffodils oedd gen i pan gerddais i i mewn. A nath hi'm crio, jest deud:

"O, haia Sion. Stedda. O, na, ddim ar ben 'yn wy Pasg i. O, 'na flode pert. Rho nhw yn y vase hyn gyda rhai Mosh ... " Roedd 'rhai Mosh' yn fawr a lliwgar a drud, ac roedd 'na gymaint ohonyn nhw, ro'n i'n gorfod gwasgu coesau fy naffodils bach pathetig i i mewn. Wedyn roeddan nhw'n fflopio dros yr ochor.

Gawson ni sgwrs, ond doedd hi fawr o sgwrs chwaith. Doedd gen i'm llawer i'w ddeud, a do'n i'n bendant ddim isio sôn am Mam a Jim Bob, felly ymson oedd hi. Un Teleri. Es i'n bôrd ar ôl chydig, a dechra sbio o nghwmpas, ar yr holl gardiau 'Brysia Wella', y cylchgronau, llyfrau, CDs a Walkman a thedi bêrs. Tedi bêrs? A dyna pryd sylwais i ar Mosh. Roedd o'n eistedd gyferbyn â fi wrth ei hochor hi, heb dynnu ei lygaid oddi arni, yn nodio a gwenu, fel tasa pob gair roedd hi'n ei ddeud fel manna o'r nef, neu berl o'r dyfnderoedd neu beth bynnag ydi o. Ac roedd hi'n troi ato fo'n amal, fel tasa hi isio gwneud yn siŵr ei fod o'n cytuno efo hi, neu'n dal yna, neu rywbeth. Er mai siarad efo fi oedd hi, doedd hi ddim chwaith, ac ro'n i'n teimlo mod i'n amharu ar rwbath. Ar ôl tri chwarter awr o hyn, mi nes i esgusodi fy hun, a gadael.

Nes i'm trafferthu efo blodau yr ail dro, dim ond Terry's Chocolate Orange, achos mae genod yn licio hwnnw, tydyn? A'r trydydd tro, sef neithiwr, es i â *NME* a *Melody Maker* iddi – ond roedd Mosh newydd roi'r union bethau iddi. Roedd Sian Tal a Jason yno hefyd tro 'ma. Roeddan nhw i gyd yn edrych reit embarasd pan gyrhaeddais i. Ac roedd gen i syniad reit dda pam, a doedd a wnelo fo ddim â mhresant anffodus i. Ro'n i wedi gweld y lleill yn yr ysgol bob dydd, ac roedd hi'n amlwg na wydden nhw am Mam a Jim Bob. Ond ro'n i'n eitha siŵr eu bod nhw newydd glywed ac wedi bod yn trafod y peth.

"Haia!" meddai Sian Tal yn rhy frwdfrydig o lawer, "ti moyn darn o Chocolate Orange? So Teleri'n lico fe."

O. "Na, dim diolch. Sut wyt ti, Teleri?"

"Grêt. Ma'n lyfli cael chi gyd 'ma 'da'ch gilydd."

"O ie, ni gyd 'ma on'dyn ni?" gwenodd Sian Tal. "Wel, pawb ond Jim Bo— Aw! Jason?! Pam ti'n cico? O ... "

Ddeudis i'n do?

"Dach chi wedi clywed, felly," medda fi, mor cŵl ag y medrwn i. Edrychodd pawb ar ei gilydd heb ddeud dim am chydig.

"Do," meddai Mosh yn y diwedd, "ddrwg 'da ni am 'na."

"Ddim eich bai chi oedd o, siŵr. Ma'r petha 'ma'n digwydd."

"Ie, ond ... " meddai Mosh yn dila.

"Aeth 'yn dad i bant 'da'i ysgrifenyddes unweth," meddai Jason, "ond o'dd e'n ôl o fewn chwe mis. 'Na pam ma Mam yn cael cymaint o drips bant nawr."

"Rîlî? O'n i ddim yn gwbod 'na, Jason," meddai Teleri.

"Ie, wel, chi'n gwbod nawr."

"Sai wedi gweld 'yn dad i ers pum mlynedd," meddai Sian Tal yn araf. "Ti'n dod i arfer. Wel ... sort of."

Edrychodd pawb yn hurt arni. Felly dyna'r tro cynta iddyn nhw glywed am hynna hefyd.

Fuon ni'n siarad am awr gyfan. Pawb yn cydymdeimlo efo pawb, yn rhannu profiadau ac yn siarad yn gwbwl onest efo'n gilydd. Ac roedd o'n grêt. Roedd Sian Tal isio 'group hug' ar ei ddiwedd o, ond mi nath Mosh, Jason a finna dynnu'r llinell yn fan'na.

"Pryd 'yn ni'n mynd i ailddachre fel Penbwl, 'te?" gofynnodd Jason wrth i ni gyd ddechrau hel ein pethau i fynd adra. Edrychodd pawb arall ar ei gilydd. "So ni'n mynd i roi lan odyn ni?" gofynnodd wedyn mewn braw.

"Wel ... licen i ddal ati," meddai Teleri, "ond sai'n mynd i allu gwneud llawer am sbel."

"Ddechreuwn ni 'to pan fyddi di'n well, bach," meddai Mosh, gan roi sws ar ei boch hi. O flaen pawb. Hm.

"Ac mae Jim Bob wedi cael y sac," gwenodd Sian Tal. gan dynnu fflyff oddi ar fy ysgwydd i.

"Wel ... " medda fi'n ofalus, "does 'na'm rhaid i chi neud hynny, ddim er fy mwyn i beth bynnag."

"Beth!" ebychodd Jason. "Ma fe wedi dwgyd dy fam di, achan! So ni'n mynd i adael iddo fe wneud 'ny i un o'n ffrindie ni!" Mae'n rhaid mod i wedi edrych yn rhyfedd arno fo pan ddeudodd o 'mêts', achos mi aeth o'n ei flaen: "O ie, ambytu ... shwd wy 'di bod 'da ti ... nago'n i'n ei feddwl e. Cenfigen pur o'dd e. Blydi gog sy'n gallu ware sacs fel angel, a rygbi fel ... wel, bron cystal â fi; o'n i ddim yn hapus. A nago'on i'n hapus pan o't ti gyda Teleri, achos o'n i'n gwbod cymaint o feddwl o'dd 'da Mosh ohoni ... ond ma hynny wedi'i sorto nawr on'dyw e?" A rhoddodd winc i Mosh, oedd yn dal i afael yn llaw Teleri.

"Fydden i wedi sorto fe mas, paid â phoeni," gwenodd Mosh. Byddai, mae'n siŵr. Rois i wên yn ôl iddo fo.

"Ia, ond os dach chi angen Jim Bob, mae'n iawn efo fi, achos ... wel ... fydda i ddim yma. Mae Dad a finna'n symud 'nôl i'r gogledd."

"Beth?!" meddai pawb.

"'Mhen chwech wythnos. Sori."

"Ond alli di ddim!" meddai Sian Tal. Roedd hi'n edrych yn reit welw.

"Mae'n rhaid i mi," medda fi. "A ph'un bynnag, dwi'm wedi setlo yma go iawn, naddo?"

"Nag wyt ti? O't ti'n drychyd yn eitha hapus i fi," meddai Mosh.

"Naddo. Dyma sydd ora. Dyma be ro'n i isio."

"Aha!" meddai Jason, "'dyna beth *ro'n* i isio' meddet ti – ond beth wyt ti moyn *nawr*?"

Wnes i'm trafferthu ateb, dim ond gwenu, codi llaw a mynd.

A rŵan mod i 'nôl yn y tŷ, mae geiriau Jason yn dal i droi yn fy mhen i. Be ydw i isio? A pam fod Sian Tal wedi cymryd ati gymaint pan ddeudis i mod i'n gadael?

10 Mawrth

Rhyfedd o fyd. Ar ôl yr ymarfer band chwyth heno, mi ddoth Ashley ata i.

"Shwmai," meddai. "Clywed bo ti'n mynd 'nôl i gogland. Ydi e'n wir?"

"Yndi."

"Pam?"

"Stori hir."

"Wy'n lico storis hir. Ffansi coffi yn Mega-Beit?"

Mega-Beit? Ond mi fyddai Jim Bob yn fan'no.

"Na, dwi'm yn meddwl," atebais.

"So fe 'na heno os taw 'na beth sy'n becso ti."

Edrychais yn hurt arno fo. Os oedd o'n gwbod yr hanes, pam oedd o isio clywed eto? Ond doedd gen i ddim byd gwell i'w wneud, ac mae cwmni Dad yn boenus, felly mi es i.

"Ti wedi gweld dy fam wedyn?" gofynnodd, wrth dywallt hanner pwys o siwgwr i mewn i'w gappuccino.

"Do."

"Ti wedi siarad 'da hi – yn gall, fel adults hynny yw?"

"Naddo. Dydi hi'm yn gallu sbio yn fy llygaid i." Y gwir ydi dwi heb roi cyfle iddi.

"Gwranda, wy'n gwbod bo fe ddim busnes i fi, ond ti'n credu mewn true love?"

"O'n i'n meddwl mai dyna be oedd gen Mam a Dad."

"Ma reasons eraill pam fod pobol yn aros 'da'i gilydd."

"Y? Be ti'n wbod?"

"Fi wedi bod yn siarad 'da mam ti."

"Pryd?! Lle?!"

"Ma hi wedi dachre gweitho i'n fam i, yn y boutique."

"O."

"Ma hi'n hell of a woman."

"Ti'n deud wrtha i."

"A ma hi moyn siarad 'da ti."

"Tyff."

"Tyfa lan, Sion."

"Y?!"

"Ma pawb yn disyrfo cyfle i ecspleino."

"Nath hi *ngadael* i, Ashley!"

"Do! A shwd ti'n meddwl ma hi'n teimlo ambytu 'ny? So fe'n bryd i ti feddwl am 'ny? Ond na, mae Sioni bach yn far too busy thinking about himself ... A beth ti'n meddwl sy'n mynd i hapno os ei di'n ôl? Ti'n meddwl bod dy 'fêts' di lan man'na wedi miso ti? Sai'n credu. Ma nhw'n siŵr o fod yn falch o gael gwared â twit mor uffernol o selfish."

"Hei, paid ti â— "

"Jyst gweud wrthot ti – fel ffrind, Sion."

Ro'n i'n berwi. Pwy oedd o i alw ei hun yn ffrind i fi? Ond roedd o wedi gorffen ei gappuccino, ac wedi codi ar ei draed.

"Fi'n mynd nawr. I roi chance i ti agor dy lyged ac i feddwl tamed bach. Byeee." Ac mi ath. Jest fel'na.

Mi fuis i'n ista 'na ar fy mhen fy hun am oes, yn berwi, ac wedyn yn meddwl. Wedyn mi gychwynnais i am adra. Roedd hi'n noson braf, felly mi gymerais i fy amser, ac es i drwy'r parc. Roedd fy mhen i'n dal i droi. Ashley Pisspot yn deud y drefn wrtha i am fod yn hunanol ac anaeddfed? Fi?! Digon hawdd iddo fo siarad – doedd ei fam o heb fynd off efo Jim Bob, nagoedd? Doedd ei gariad o heb ei ddympio fo i fynd efo Mosh. Doedd ei fywyd o'm a'i ben i lawr, tu chwith allan a dros y siop i gyd. A be oedd o'n rwdlan am roi cyfle i mi agor fy llygaid?

"Haia," meddai llais rhywun. Sian Tal. Roedd hi'n eistedd ar un o'r siglenni. "Beth sy'n bod? Ti'n edrych fel 'sa pwysau'r byd i gyd ar dy sgwyddau di."

"Ti'm isio gwbod."

"O, 'na fe 'te." Siglodd yn ôl a mlaen am chydig, yna estyn i'w phoced a thynnu pecyn gwyn allan. "Ti moyn sherbert lemon?" Edrychais yn hurt arni, ond roedd ei gwên hi mor ... wel, mor ddidwyll, mi wnes i gytuno. Rhoddodd hithau un yn ei cheg hithau.

"Wy rili lico sherbert lemons, nhw yw'n hoff losin i; wy lico'r ffordd ma nhw'n ffizzo yn 'y ngheg i, t'mod? A pingan ar flaen 'y nhafod i. Ma nhw mor felys i ddachre, ac er bo ti'n gwbod bod sherbert tu mewn, ti wastod yn cael sypreis pan ma fe'n ffrwydro yn dy geg di? Ma fe'n bril. Ond ma nhw'n neud dolur withe, on'dyn nhw, os ti'n byta gormod ohonyn nhw, fel nail varnisho top dy geg di, bron?" Roedd hi'n mwydro mlaen fel hyn yn hapus braf ac yn tynnu darnau o fflyff oddi ar fy llawes i, a finna jest yn sbio'n wirion arni. A dyna pryd nes i sylweddoli:

"W'st ti be, Sian Tal? Ti reit ddel, dwyt? Wel, ddim 'reit' ddel – ti *yn* ddel." Achos mae hi. Mae ganddi lygaid gorjys, a'r amrannau hira welais i rioed, ac mae siâp ei gwefusau hi'n berffaith.

Edrychodd y llygaid gorjys arna i'n hurt, yna chwarddodd y gwefusau perffaith, a deud:

"Odw. A dim ond nawr ti'n sylwi?! Sion ap Gwynfor ... ti'n real ... penbwl ... !"

Cystadleuaeth Sgôr

Dychmyga dy hun yn sipian smoothie mewn jacŵsi ym Mae Caerdydd, ac yn gweiddi a dathlu gyda dy ffrind gorau wedi i Gymru sgorio yn Stadiwm y Mileniwm.

Wel, fe allai'r freuddwyd hon fod yn realiti'n fuan iawn. Mae S4C yn cynnig 3 thocyn i unrhyw gêm ryngwladol y bydd tîm Cymru'n ei chwarae yn Stadiwm y Mileniwm rhwng dechrau Rhagfyr 2002 a haf 2003 (boed ti'n ffan o rygbi, pêl-droed, ping-pong neu ba gêm bynnag arall fydd yn cael ei chwarae yno). Mae'r tocynnau yma ar gyfer yr enillydd, un ffrind ac un oedolyn.

Ond, yn well na hynna, mae gwesty gorau a mwyaf moethus Caerdydd – St David's Hotel and Spa – yn gwahodd yr enillydd, ei fêt ac oedolyn cyfrifol i aros noson yn eu gwesty pum-seren yn Mae Caerdydd. Yn fa'ma mae brenhinoedd a sêr y sgrin yn aros pan fyddan nhw'n ymweld â Chaerdydd – lle bendigedig i ymlacio a swancio

Felly, ateba'r cwestiynau, torra'r ddalen yn rhydd a'i hanfon yn ôl at Y Lolfa erbyn 30 Tachwedd 2002 – a hwyrach mai ti fydd yn mynd i Gaerdydd.

www.nofelt.net

Cystadleuaeth Sgôr

Beth mae Sion yn galw ffrindiau Lara?

_____

Beth yw llys-enw Ashley Philpot?

_____

Ym mha flwyddyn oedd mam Sion yn Miss Prestatyn?

_____

Anfoner y ddalen hon i:
Y Lolfa, Talybont, Ceredigion SY24 5AP
erbyn 30 Tachwedd 2002, a chyfeirio'r amlen at:
'Cystadleuaeth Sgôr'.

www.nofelt.net

POB LWC!

Enw: _____

Cyfeiriad: _____

_____

_____

Rhif ffôn: _____

Cyfeiriad e-bost: _____

Criw Dyffryn Teifi

Penbwl